A veces no puedes ver la magia.
Solo sabes que está ahí porque la puedes sentir.

Un sol de tortilla

Jennifer Cervantes

SCHOLASTIC INC.

Originally published in English by Chronicle Books LLC as *Tortilla Sun*

Translated by Esther Sarfatti

Text copyright © 2010 by Jennifer Cervantes
Cover illustration copyright © 2010 by Ana Juan
Translation copyright © 2018 by Scholastic Inc.

ISBN 978-1-338-29086-8

10 9 8 7 6 5 4 3 2 1   18 19 20 21 22

Printed in the U.S.A.   23
First Spanish printing 2018

A mis hijas, Alex, Bella y Jules.
Las amo más que a todas las estrellas del firmamento.

PRÓLOGO

El cuentito

Este es un cuento, una historia de magia, amor, esperanza y tesoros. Si lo lees bajo el resplandor de la luna o a la luz del sol veraniego, presta atención a los susurros de la brisa que pasa. Después, cierra los ojos y deja que el relato te lleve a un lugar donde todavía existe la magia y donde el corazón de la narradora habla de hechizos, de miedo y esperanza.

1

La pelota mágica

Miré la foto con atención. Tenía seis años y algún diente de menos, y agarraba la mano de mamá mientras las olas blancas rompían en la orilla a nuestras espaldas. Un mechón de pelo oscuro tapaba la cara de mamá, escondiendo lo que tal vez hubiera sido una ligera sonrisa.

Me volteé cuando mamá se asomó a la puerta.

—Mira. Yo era tan pequeña —dije, y le enseñé la foto.

Noté la confusión en su cara cuando vio la caja que había abierto.

—¿Dónde encontraste eso? Pensé que lo habíamos desempacado todo.

—Estaba aquí... —contesté.

Entró en el cuarto de huéspedes de nuestro nuevo apartamento. Habíamos vivido antes en muchos otros lugares de
San Diego, entre las calles 4, 10, Mulberry y Elm. Nuestra
última casa estaba en la calle Paraíso. El nombre prometía.
Ahora vivíamos en el número 1423 de la calle M. "M" porque
a lo *mejor* será nuestro hogar definitivo.

—Hace años que no veía esa foto. —Sus ojos bailaban
mientras sus dedos largos acariciaban la superficie—. Creo
que acababas de perder ese diente de leche —dijo, sonriendo
al recordarlo.

Una suave brisa se deslizó por la ventana, haciéndome
cosquillas en la cara. En ese momento, observé que había
otro objeto en la caja. Era una pelota de béisbol.

La saqué de la caja y le di vueltas en la mano. Tenía dos
palabras escritas en la superficie: *porque* y *magia*.

—¿De quién es?

Mamá levantó la vista y me arrebató la pelota de las manos.

—Espera. Quiero mirarla. ¿Qué significan esas palabras?
—dije.

—Yo... no, nada. Ayúdame a doblar esta caja.

—¿Era de papá? —pregunté en un susurro.

—Olvídalo, Izzy —respondió mamá, volviéndose hacia
mí—. Te dije que no era nada.

Pero yo sabía que era algo. Mi papá había muerto antes de que yo naciera. Mamá nunca quería hablar de él, pero yo presentía que los dos éramos muy parecidos. Seguro detestaba mudarse de un lugar a otro sin encontrar un hogar. Y, seguramente, también odiaba empacar, a menos que fuera para irse de vacaciones.

Mamá agarró la caja y se alejó por el pasillo. Escuché el portazo del armario. Luego reapareció y se apoyó en el marco de la puerta.

—No hace falta desempacar esa caja. La dejamos así.

—Pero...

—Dije que la dejamos así —insistió, levantando la palma de la mano.

Esa noche, me senté en mi escritorio bajo la ventana para apuntar algunas ideas para un cuento.

—*Porque magia...* —susurré. ¿Habría escrito papá esas palabras? Y, ¿por qué había un espacio entre ellas, como si faltara algo?

La luna de junio estaba muy baja en el cielo, como si la sujetaran unas cuerdas invisibles. Su luz amarilla brillante se filtraba por las palmeras del jardín, creando sombras que bailaban en las desnudas paredes blancas de mi cuarto.

Me di un golpecito en la mejilla con el bolígrafo y miré una ficha en blanco. Tenía un montón, cada una con el principio de un cuento sin terminar. La señora Barney, mi maestra de quinto grado, me había recomendado que lo hiciera. Dijo que las fichas, como eran pequeñas, no eran tan intimidantes para los "escritores incipientes". Cuando le pregunté qué significaba "incipientes", solo se rio y me dijo que yo estaba creciendo. Pero, ¿qué tendría que ver que fuera alta con escribir? Mientras pensaba en un nuevo cuento, me puse a dibujar corazoncitos en la ficha. *Un día, una chica llamada Sara...* No, Sara no. Algo más interesante.

Me aparté de la cara el largo cabello oscuro y rocé las argollas de plata que llevaba mientras miraba las cajas vacías de la mudanza, esparcidas por el suelo. *Gypsy.* Sí, *una chica llamada Gypsy.*

Escribí el principio del cuento.

Un día, Gypsy abrió una caja secreta. Dentro, encontró una pelota. Y... ¿Y qué? Con el bolígrafo en la mano, me recosté en la silla giratoria y giré lentamente.

"¡Ya lo tengo!", pensé. *Y era mágica. La pelota...*

Taché la palabra *pelota* y escribí: *Pero su madre dijo que la pelota no servía para nada y la enterró.*

"¿Dónde la enterraría? —me pregunté—. ¿En el jardín de la terraza?". No, Gypsy vivía en un lugar maravilloso, tal vez en un castillo. *Su madre la enterró en un huerto, al otro lado de las murallas del castillo.* Pero, ¿por qué enterraría su madre la pelota? ¿Qué quería esconder?

Frustrada, apoyé la cabeza en el escritorio. Se me daba bien comenzar los cuentos. Lo difícil era terminarlos. Era como tratar de resolver un rompecabezas sin tener todas las piezas.

Cuando sonó el teléfono, me enderecé de golpe. Mamá contestó antes de que sonara por segunda vez, como si estuviera esperando la llamada. Me acerqué de puntillas a la puerta cerrada de mi cuarto. ¿Quién llamaría tan tarde? Abrí en silencio la puerta y acerqué el oído a la rendija. Desde el salón, llegó la voz de mamá.

—No, todavía no se lo he dicho. Sí, lo haré —dijo en voz baja.

Silencio.

—Tal vez sea bueno para ella. Es solo que me preocupa. Más tarde o más temprano, descubrirá la verdad y...

En ese momento, mamá suspiró y la imaginé frotándose la frente con la mano.

—Lo sé. Tal vez sea lo mejor. ¿Crees que me lo perdonará?

¿Qué es lo que no le había dicho a quién? ¿Perdonarla por qué?

—Si te pregunta, tómalo con calma. —Mamá hizo una pausa larga y después susurró algo, pero no lo escuché porque sonó la bocina de un auto justo delante de mi ventana. Lo último que oí fue: "Gracias, mamá".

¿Nana? ¿Por qué hablaba con Nana? Casi nunca hablaba con Nana. De pronto, la noche se volvió sofocante.

Miré de nuevo la ficha del cuento e imaginé que Gypsy iba al huerto a escondidas para desenterrar la pelota mientras su madre dormía. Me dije a mí misma que si yo podía conseguir la pelota sin despertar a mamá, estaba destinada a ser mía. Si no, se quedaría en su escondite.

Al cabo de media hora, oí que mamá cerraba la puerta de su cuarto.

Avancé despacio hacia la puerta de mi cuarto y la abrí lentamente. Oí el murmullo lejano del tráfico. Conté hasta cien, impaciente, lentamente, y luego avancé por el pasillo con mucha cautela.

Afuera, el viento chocaba contra las paredes, haciéndolas crujir y rechinar. Abrí la puerta del armario que estaba justo frente al cuarto de mamá y, con cuidado, me encaramé en la repisa de abajo para poder alcanzar la caja, que estaba en la parte de arriba. Metí la mano y, después de apartar montones de papeles, mis dedos rozaron las costuras largas y abultadas de la pelota de béisbol.

2

UN DESEO

Bum, *bum, bum, bum*. A la mañana siguiente, encontré a mamá en la cocina con un cincel y un martillo, desbaratando el mostrador. Los pequeños trozos blancos volaban por el aire como la nieve, posándose suavemente en sus mejillas aceitunadas.

Me agaché al ver que un trozo de azulejo volaba hacia mí.

—¡Oye!

Mamá se volteó sorprendida.

—Buenos días, Izzy. No te había visto.

—¿Qué... qué haces? —pregunté.

Dio un paso hacia atrás e inspeccionó el mostrador a medio demoler, como quien se aleja para ver cómo quedó una fotografía acabada de colgar. Se limpió las mejillas con el dorso de la mano.

—Había un... —buscó entre los escombros por el suelo— este azulejo roto y pensé que debería arreglarlo y...

La aparté para ir a buscar la escoba, pero me agarró por el codo. Una sensación de nerviosismo se apoderó de mí.

—Izzy, espera, tengo que decirte algo.

Me dio un vuelco el corazón. Algo no andaba bien.

Mamá se apoyó en el mostrador e inhaló una gran bocanada de aire.

—En realidad, es extraño. No me lo esperaba pero, a última hora, conseguí financiamiento —cruzó los brazos a la altura de la cintura—. Me voy a Costa Rica a terminar mi investigación.

Sus palabras zumbaron alrededor de mí como un enjambre de abejas desorientadas.

—¿Cuándo? ¿Por cuánto tiempo?

—Estaré fuera la mayor parte del verano. Salgo el martes.

Mamá no me dejaría atrás. Iríamos juntas. ¿Verdad?

—Pero, eso es dentro de tres días —dije, apartándome de mamá y de los trozos de azulejos.

—Tengo que hacerlo.

—Y yo, ¿qué voy a hacer? Son tres meses enteros.

—Dos. Regresaré a finales de julio. Y después podré graduarme. Entonces, nuestras vidas cambiarán. —Se inclinó hacia mí y me acarició el pelo—. Para mejor.

Le di vueltas a esas dos palabras en mi cabeza: *para mejor*.

De pronto, la llamada telefónica de la noche anterior comenzaba a tener sentido. Me acerqué a ella mientras empujaba los azulejos rotos con los dedos de los pies.

—¿Me vas a mandar a casa de Nana? —pregunté—. ¿En Nuevo México?

Un destello de sorpresa apareció en la cara de mamá. Como si supiera que había escuchado su conversación.

—Está encantada de que vayas y...

—Y, ¿qué pasó con aquello de que ustedes dos no se llevaban bien? —pregunté.

—No es que no nos llevemos bien. Simplemente, no vemos el mundo de la misma manera.

—¿Por qué no puedo ir contigo? —dije.

—Izzy...

—Nuevo México es otro mundo. Está muy lejos de California. ¿Qué voy a hacer durante dos meses con alguien que no he visto desde que tenía seis años? Ha pasado media vida. ¡Ella es una extraña para mí! —De pronto, sentí ganas de salir corriendo.

Mamá puso los ojos en blanco.

—Vamos, Izzy. Tampoco es que sea una extraña. Es tu familia. Ya te saqué el billete. Viajas el lunes.

Mamá abrió el refrigerador y agarró un refresco de dieta. Antes de abrir la lata, la frotó contra su cara.

—¿Por qué no puedo quedarme aquí? —dije con voz temblorosa mientras miraba el montón de azulejos en el suelo.

Mamá bebió su refresco. Después, cerró los ojos y respiró profundo. Cuando los abrió, habló lenta y deliberadamente.

—Te vas a ir a Nuevo México y no hay más que hablar.

Tragué en seco e intenté no llorar.

—¿Por qué siempre eres tú la que lo decide todo? Acabamos de desempacar y yo... yo tenía planes.

—¿Planes? —dijo, arqueando las cejas con sorpresa.

Mamá siempre había insistido en que hiciera amigos, pero yo no le encontraba mucho sentido a eso, ya que siempre nos estábamos mudando. Nos mudábamos por cualquier motivo: para estar más cerca de su universidad, para que yo fuera a una escuela mejor, porque la nueva casa era más tranquila, más bonita, más grande, más pequeña...

—Pensaba conocer algunas chicas de mi edad aquí en la urbanización para no ser la alumna nueva en la escuela, *como siempre* —le dije, tratando de convencerla.

—Cariño, puedes hacer nuevos amigos en tu escuela en el otoño. Además, esta es una oportunidad maravillosa para ti.

—¿Oportunidad para mí, o para ti?

Volví a mi habitación enojada y me tumbé en la cama. Sentía un gran pesar, como cuando ves un globo que se aleja en el cielo hasta desaparecer.

Agarré una ficha y escribí:

Gypsy fue a la cárcel por robar la pelota mágica. Y, cuando la encerraron en la mazmorra del sótano del castillo, encontró la palabra "oportunidad" escrita en la pared de piedra.

Mirando fijamente la ficha, me pregunté qué vendría a continuación. Tal vez, una huida arriesgada o una hechicera podrían salvarla. Como no se me ocurría nada, taché la palabra *oportunidad,* que se convirtió en una gran mancha de tinta azul, y tiré la ficha al suelo.

Oí los pasos de mamá que se acercaban a mi cuarto. Contuve la respiración, con la esperanza de que no tocara a la puerta.

Toc, toc.

Silencio.

—¿Izzy? —dijo en voz baja.

Metí las manos debajo de la almohada y agarré la pelota de béisbol que había escondido allí. Cerré los ojos con fuerza y susurré: "Ojalá no tuviera que irme. Ojalá no tuviera que irme".

—Te traje la maleta. —Se quedó delante de la puerta durante lo que me pareció una eternidad. Me la imaginaba al otro lado, con los brazos cruzados y la cabeza inclinada.

—Creo que te va a gustar el pueblo. —Ahora su voz sonaba un poco apagada, como si su boca estuviera pegada a la puerta—. Es extraño y hermoso al mismo tiempo, y es el lugar ideal para explorar. Tal vez te sorprenda lo que encuentres allá —dejó de hablar un momento y luego continuó—. ¿Podrías decir algo, por favor?

Metí la cabeza debajo de la almohada, junto a la pelota. Una parte muy pequeña de mí se sentía culpable por haberla robado, pero había sido de mi papá y eso la hacía especial. También la hacía mía.

—Aquí te dejo la maleta —dijo. Mientras se alejaba, sus pies descalzos sonaban al golpear contra las losas del piso.

3

BIENVENIDA

Dos días después, estaba frente a la puerta del avión, esperando el momento de abordar. Mamá ajustó mi mochila y sonrió con ansiedad.

—El tiempo pasará rápido, verás.

No sé si intentaba convencerme a mí o a sí misma. Yo miraba fijamente los hilos morados y azules que zigzagueaban en la alfombra y me preguntaba por qué mi deseo no se había hecho realidad.

Mamá me dio un abrazo fuerte y me apartó el pelo de la cara.

—Nos vemos pronto.

Asentí con la cabeza y le entregué mi tarjeta de embarque al agente. No miré atrás.

A miles de pies de altura, Albuquerque parecía un trozo de papel de lija marrón que se extendía entre una montaña gigante, al este, y un largo cinturón verde de árboles, al oeste. El río detrás del valle serpenteaba por el paisaje como si buscara un lugar donde descansar. Cerré los ojos con fuerza y sentí que el estómago se me revolvía a medida que el avión se acercaba a ese extraño lugar.

Momentos después de desembarcar, mientras caminaba por el aeropuerto, vi a un hombre de pequeña estatura con un sombrero de paja y un cartel que decía "Isadora Roybal". Miré alrededor en busca de Nana. Llevaba una pequeña foto en mi mochila por si no la reconocía. Me acerqué y el hombre sonrió.

El ala de su sombrero me llegaba a las cejas, haciéndome sentir demasiado alta para mi edad, como un flamenco sobre zancos.

—Hola, señorita. Tú debes ser Isadora.

—Izzy —dije.

Sus ojos negros almendrados estaban caídos y solo se levantaban cuando sonreía, cosa que hacía todo el tiempo. Se inclinó para agarrar mi maleta.

—Soy el señor Castillo. Te llevaré a casa.

¿Por qué Nana mandaría a un extraño a recogerme? Tal vez no quería realmente que pasara el verano con ella. Empujé la maleta hacia mí.

—¿Dónde está mi nana?

—Cocinando para la fiesta.

Me di cuenta de que quería que lo siguiera, pero me quedé parada, sin saber qué hacer.

—Tal vez debería llamarla primero —dije.

—De acuerdo —respondió, riendo—, pero no contestará el teléfono si está cocinando. Mira, puedo demostrar que ella me mandó a buscarte y que soy quien digo que soy. —Se quitó el sombrero, como si eso lo ayudara a pensar mejor.

Asentí con la cabeza.

—Tu nombre es Isadora —dijo, sonriendo—. Quiero decir, Izzy Roybal. Tienes doce años y eres una auténtica nativa de Nuevo México. —Volvió a ponerse el sombrero—. Y tu mamá es María Roybal.

—¿Qué más sabe de mí? —pregunté, mientras me hacía un bucle en el cabello con un dedo.

—¿Más detalles? —volvió a reír—. Tienes el mentón de tu mamá y una voluntad firme, pero tus ojos me recuerdan a los de tu papá, como si lo tuviera aquí delante ahora mismo.

—¿Conocía a mi papá?

—Todos en el pueblo lo conocíamos. Jack era un hombre muy bueno. Debes estar orgullosa de ser su hija.

Si era tan bueno, ¿por qué mi mamá no quería hablarme de él?

—Ahora, ven. Tu nana está preparando muchas cosas para ti. No la defraudemos.

Se volteó y me condujo hacia afuera, hacia una camioneta oxidada repleta de cebollas amarillas. El aire, seco y caliente, me raspaba la piel y lo que el señor Castillo había dicho sobre mi papá arañaba un rincón de mi mente.

—Parece que le gustan mucho las cebollas —dije.

—Sí, pero estas son para vender. Las cultivé yo mismo —sonrió con orgullo.

Me senté en la cabina de la camioneta, a su lado, y puse mi mochila entre las piernas. Pronto salimos a la carretera. El zumbido del motor atravesaba los campos quemados por el sol, apenas salpicados de arbustos de color verde oscuro, demasiado escuálidos para dar sombra. Las montañas se veían a lo lejos, mientras nos alejábamos a toda velocidad.

—Esas son las montañas Sandía —dijo el señor Castillo—, como la fruta.

—Pero no parecen sandías.

—Ya verás a la puesta del sol. Se ponen del color rosado más bonito que jamás hayas visto.

Mientras avanzábamos, cada milla de desierto parecía exactamente igual a la anterior.

—Y esos, ¿qué son? —Señalé a lo lejos, en el cielo.

—¿Nunca has visto un globo aerostático?

—Solo en películas —dije.

—La gente viene de todas partes para montar en globo —dijo, riendo—. Dicen que aquí el viento es perfecto.

—Y, ¿cualquiera puede montar en globo? —pregunté.

—Ahora que lo pienso, nuestro pueblo tiene un globo. —El señor Castillo se frotó el cuello—. Teníamos uno. —Su voz se suavizó—. No sé qué le habrá pasado.

—¿Cómo es el pueblo?

El señor Castillo me miró de reojo.

—Se me olvida que no vienes desde que eras bebé. Pues, tendrás que descubrirlo tú misma.

Sonrió y comenzó a moverse en su asiento al ritmo de la música mexicana que sonaba en la radio. Mi corazón dio un vuelco mientras me secaba las manos sudorosas en el *jean*. ¿Adónde me había mandado mi mamá?

Cuando llegamos a las afueras del pueblo, luego de recorrer más de cuarenta millas, había estornudado al menos veinte veces y sentía los párpados hinchados como uvas. Pero me embargó una pizca de esperanza cuando tomamos por carreteras secundarias hacia un valle exuberante, cuyos árboles majestuosos coronaban la tierra color siena.

La camioneta brincaba por la carretera sin asfaltar, bordeada de casas de adobe. Los techos eran planos y las paredes tenían gruesos bordes redondeados que parecían de barro comprimido.

El señor Castillo se detuvo. Luego señaló a la izquierda, mientras nos acercábamos a una plaza cercada por árboles gigantes y más casas de adobe.

—Este es el centro del pueblo.

Una señora grande y rolliza se inclinaba sobre un niño de mejillas muy morenas que lloraba. Se había manchado el zapato con helado de chocolate. Dos niñas pequeñas con vestidos vaporosos perseguían a un chihuahua que corría por la hierba hacia el helado derretido. A nuestra derecha, unas escaleras de piedra conducían a una pequeña iglesia de adobe con grandes grietas en las paredes. El señor Castillo se persignó al pasar.

—¿Aquí es donde vive Nana?

El señor Castillo negó con la cabeza.

—Vive a un par de kilómetros del centro, en la tranquilidad del campo.

Tomamos una larga carretera de tierra, bordeada de álamos y olmos. Una casa grande, también de adobe, con ventanas color turquesa, se veía al final del camino. Las ramas de los árboles se inclinaban sobre el techo, protegiéndolo del calor del sol de Nuevo México. La casa se extendía de un extremo a otro de la sombra.

Bajé de un salto de la camioneta, me colgué la mochila del hombro derecho y seguí al señor Castillo por una puerta inclinada, de madera, que daba a un patio soleado. Tuve cuidado de no tropezar con las macetas de terracota llenas de flores silvestres de color amarillo y morado que orillaban el estrecho sendero de ladrillos que conducía a la puerta principal.

—¡Ah, mijita! —Nana salió corriendo y tropezó con una virgencita tallada en madera. Siguió, sin detenerse, mientras el señor Castillo se agachaba a recogerla. No recordaba a Nana tan bajita.

Abrió los brazos y me abrazó con fuerza.

—Isadora, estás tan alta como un olmo.

Mi cuerpo se mantuvo rígido entre sus brazos.

—Llámeme Izzy.

Retrocedió y me miró sonriendo.

—Tu mamá me ha enviado fotos, ¡pero en ellas no se aprecia lo bonita que eres! Ay, y eres tan alta. No te veo desde mi último viaje a California. —Se daba golpecitos con los dedos en la mejilla, como si estuviera contando los años—. ¿Te acuerdas? Tendrías unos seis años, si acaso. —Hizo un gesto con la mano, como si espantara un pensamiento—. No, yo no podría vivir en un lugar con tanto ajetreo. Hay demasiado tráfico y demasiadas personas.

Su cuerpo bajito y grueso me hizo sentir aún más alta que un flamenco sobre zancos.

Se volteó hacia el señor Castillo.

—Gracias.

El hombre se quitó el sombrero haciendo una reverencia.

—De nada —respondió.

Después, Nana se inclinó hacia mí con una sonrisa cálida.

—Bienvenida. Ven, ven a conocer a mis amigas —dijo mientras caminaba, dando saltitos, hacia la puerta principal. Su vestido color rosado cubría casi por completo sus pequeños pies descalzos.

Nos adentramos en la casa, donde había una docena de mujeres paradas a ambos lados de una larga mesa de pino. Reían y amasaban algo en grandes cuencos de plata.

—Estamos preparando tamales frescos para la fiesta de mañana.

—¿Fiesta?

—Sí, mañana es el cumpleaños de mi mejor amiga y tú estás aquí. Dos buenas razones para celebrar.

Me quedé rígida, como la virgencita de madera del patio, mirando fijamente el caleidoscopio de colores: alfombras rojas, cojines morados, flores rosadas y paredes amarillas. Mi estómago daba vueltas como un carrusel que va demasiado rápido. De pronto, sentí nostalgia por mi casa, donde todo era familiar. Las mujeres me saludaban y sonreían.

—No sabía que vivía en el campo —dije, llevándome las manos al estómago revuelto y tratando de devolver las sonrisas a las desconocidas.

—Esto no es el campo. Es un pueblito en las afueras de la ciudad —dijo Nana, arrugando la nariz—. Y tú hueles como si acabaras de salir de un saco lleno de cebollas mojadas.

—Son las cebollas de la camioneta. Todavía me pica la garganta. Creo que soy alérgica.

—Ven conmigo —dijo, riendo.

La seguí, pasando junto a las mesas largas, hasta la cocina azul celeste. Del techo colgaban ramilletes de flores y hierbas secas que hacían que la cocina oliera como una vela de arándano recién encendida. Nana arrancó algunas flores secas y las molió en un recipiente de piedra negra. Después, las puso en una taza y añadió agua caliente.

—Toma, bébetelo. —Me dio la taza y una tortilla que sacó de una cesta con forma de sombrero—. Y cómete esto.

La infusión se deslizó por mi garganta, calentándome por dentro. Su sabor era amargo, como si hubiera pelado una naranja con los dientes, así que comí grandes bocados de la tortilla para que fuera más fácil de tragar. Algunos trocitos de hierba se me quedaron en la boca y no sabía si debía comérmelos o no. Pero no quería que me volviera a dar alergia a las cebollas, así que me los tragué con esfuerzo.

EL VIENTO QUE SUSURRA

La casa de Nana parecía respirar color y vida. Dondequiera que mirara, ángeles y santos me observaban desde la pared.

—Tiene un montón de pinturas —le dije a Nana mientras me guiaba por un estrecho pasillo hacia mi cuarto.

—Sí, han estado en la familia durante generaciones. Cada una tiene una historia.

Nana se detuvo frente a un pequeño retrato de la Virgen María con el Niño Jesús que colgaba de una pared, al lado de una gran puerta de madera. Me moví de un lado a otro del cuadro y los ojos de la Virgen me siguieron.

—¿Ves ese retrato de la Virgen? Lo pintó un sacerdote que se lo regaló al papá de mi papá; tiene casi cien años. Ha visto muchas tristezas y alegrías. Ahora cuelga de esta pared para proteger a todos los que duermen en esa habitación.

¿Por qué necesitaría protección? Me sentí un poco mareada. Tantas cosas nuevas me rodeaban. No sabía en cuál fijarme primero. Nana abrió la puerta.

—Te presento a Estrella.

Una cama alta con dosel ocupaba el centro de la habitación. Alrededor, colgaban cortinas de gasa color crema. Al pie de la cama, había una manta azul celeste con franjas amarillo limón, a juego con las espirales azules que adornaban las paredes. Dos puertas francesas daban a un patio cercado, donde había una fuente pintada con vivos tonos de amarillo y púrpura.

—Está tan... lleno de color —dije, un poco sorprendida.

Nana rio y se apoyó en uno de los pilares de la cama.

—Claro que está lleno de color. La vida es color, ¿no crees?

Miré alrededor del cuarto, esperando que apareciera alguien.

—¿Y dónde está Estrella?

—La habitación se llama Estrella —dijo Nana y alzó un brazo—. ¿Ves esas ventanas?

A pocas pulgadas del techo, había dos ventanitas cuadradas. A través de ellas, solo se veía el cielo.

—Esas ventanas se construyeron especialmente para ver las estrellas. Por eso la habitación se llama Estrella —dijo Nana.

Miré por las ventanas tratando de imaginar las estrellas que vendrían a visitarme, pero a la luz del día solo se veían nubes que se movían lentamente en el cielo azul.

—¿Le ha puesto nombre a todas las habitaciones de la casa?

—Solamente cuando he encontrado el nombre adecuado. —Nana apoyó sus pequeñas manos sobre las caderas y una sonrisa cálida se dibujó en su cara.

—¿No te gustaría explorar el pueblo? —preguntó mientras se alejaba—. Es un lugar encantador —dijo y cerró la puerta al salir.

Era la misma palabra que había usado mamá.

Una brisa silenciosa entró a través de la tela metálica de las puertas francesas, rozando mis mejillas. Del otro lado, el agua de la pequeña fuente de piedra salpicaba el suelo.

Abrí la cremallera del bolsillo lateral de mi mochila y saqué la pelota de béisbol que había mantenido escondida durante los últimos días, para que mamá no me la quitara.

En uno de sus lados, unas pequeñas puntadas rojas formaban una "u" invertida que se estrechaba en el centro y volvía a ensancharse al otro lado. Las palabras *porque* y *magia* estaban escritas en el centro, en cursiva, una encima de la otra, extrañamente separadas por un espacio de casi una pulgada. En medio de ellas había un leve borrón, como si algunas palabras hubieran desaparecido.

Guiándome por el tamaño de la escritura, calculé la cantidad de letras que podrían caber en ese espacio. ¿Siete, ocho? Era casi tan frustrante como tratar de terminar un cuento. Con ese borrón, tal vez la pelota ya no servía para pedir deseos, pero seguía siendo de mi papá y me daba la sensación de que las palabras que faltaban eran importantes.

Con la pelota en la mano, salí al patio y pasé junto a la fuente hasta llegar a un pequeño césped frente a una rosaleda. Después de los rosales, una cuesta bajaba hacia una arboleda que parecía no tener fin. Las sombras bailaban y jugaban debajo de las ramas que se movían bajo el sol poniente.

Lancé la pelota hacia arriba, hacia las nubes vaporosas más allá de las copas de los árboles. Regresó enseguida. La pelota se sentía sólida y segura entre mis manos y me daba confianza. Decidí lanzarla contra los troncos de los árboles y correr a recogerla. Pero la lancé mal y fue a parar a un arbusto cercano. Me agaché para buscarla, pero no podía ver bien entre las sombras de la arboleda.

—¿Dónde estás? —murmuré.

Metí el brazo en la maleza para buscarla y me enganché con las ramas. Lo saqué enseguida y examiné los pequeños arañazos en la muñeca y el codo. Sacar la pelota no iba a ser tarea fácil. Me recosté al pie de un álamo grande, respiré hondo y cerré los ojos. Una suave brisa acarició mis rasguños. Empezaba a quedarme dormida cuando escuché unos susurros entre los árboles y tuve la extraña sensación de no estar sola.

Suuush, suuush.

Después de un *suuush* más leve, una palabra se escuchó con claridad en la arboleda.

Ven...

Pegué la espalda contra el árbol e inspeccioné la zona.

—¿Quién anda ahí? —pregunté.

Ven...

La brisa me envolvió. Comencé a correr, pero me acordé de la pelota atascada en la maleza debajo del desagradable arbusto. No soportaba la idea de dejarla allí toda la noche. Justo cuando iba a meter de nuevo la mano entre las ramas espinosas, la pelota salió rodando de debajo del arbusto. Con un movimiento veloz, la agarré y corrí como un rayo hacia la casa de Nana, rezando para que hubiera suficiente luz para guiarme por el camino. Mis pies atravesaron el césped mientras la brisa me seguía. Solo cuando llegué a la casa y puse el cerrojo de las puertas francesas de Estrella pude exhalar por fin. Mi aliento empañó el cristal.

Corrí hacia el pasillo para agarrar el retrato de la Virgen que colgaba en la pared. De regreso a mi habitación, lo apoyé contra las puertas francesas como protección adicional, además del cerrojo, contra aquello que había entre los árboles.

—Has vuelto —dijo Nana desde la puerta—. ¿Todo bien?

Me volteé, con las manos en el pecho.

—¡Qué susto! Sí, todo bien. Solo estoy cansada. Estaba pensando acostarme.

Nana miró el retrato apoyado contra las puertas y luego me miró a mí.

—Solo quería... solo quería verla más de cerca —dije.

—Estás en tu casa, mija.

Sus ojos color caramelo brillaban. Mirando por la ventana, asentí despacio.

—Te dejé un burrito al lado de la cama, por si tienes hambre. —Ladeó la cabeza y me miró fijamente—. Estoy muy feliz de que estés aquí por fin. Dime si necesitas algo —dijo, y se volteó para marcharse—. Desayunamos a las siete en punto.

—¿De la mañana?

Nana se rio y cerró la puerta.

Hundiéndome en la silla del escritorio pintado de verde, revisé mis fichas hasta encontrar una en blanco y escribí: *Gypsy descubrió un bosque encantado donde el viento hablaba.*

Si mamá estuviera aquí, diría: "Sé razonable, Izzy. Tiene que haber una razón lógica que explique por qué escuchaste una voz en el viento".

Repetí la palabra "lógica" una y otra vez mientras trataba de reconstruir los acontecimientos del día. Fue entonces cuando recordé las hierbas de la infusión. Tal vez tenían un extraño efecto en la gente que no estaba acostumbrada a beberlas, haciendo que creyeran oír cosas.

Un rato después, estaba tumbada en la cama, escuchando el silencio. Extrañaba los sonidos familiares de casa: el murmullo lejano del tráfico, el ruido de los cláxones, el zumbido de las farolas. Los reflejos de la luna iluminaban la pared encima de mi cama, donde estaba colgada la estatuilla de un ángel. Tenía ojitos delicados de cristal que me miraban fijamente desde lo alto y un ala que se extendía hacia arriba. Nunca había visto un ángel al que le faltara un ala. La luz de las estrellas bailaba sobre su cara y, por un momento, no me sentí tan sola.

Pronto me di cuenta de que no lo estaba. De las paredes salía una voz masculina susurrante. Me incorporé y presté atención, pero no podía distinguir las palabras. Me bajé de la cama y caminé en puntillas hacia una larga alfombra india, color turquesa, que colgaba cerca del armario. Detrás, había una puerta cerrada con candado. Pegué el oído.

—¿Quién anda ahí? —dijo la voz del extraño.

Salté hacia atrás sin saber qué hacer. Decidida a despertar a Nana, me di vuelta y me dirigí hacia el pasillo. Entonces, volví a escuchar la voz.

—¿Qué te parece un poco de música?

Una guitarra comenzó a tocar suavemente. La dulce melodía atravesó las paredes y llenó la habitación de un ritmo constante que detuvo mis pies y tranquilizó mi mente.

—¿Quién es? —susurré mientras me subía a la cama.

5

"REBOSANTE DE ENCANTADA" Y EL CHICO DEL OTRO LADO DE LA PUERTA

A la mañana siguiente, unos aromas deliciosos se colaron por debajo de la puerta de mi habitación, animándome a levantarme. Con los ojos medio cerrados, miré el despertador sobre la mesa de noche: eran las 6:45.

Arrastré los pies hacia la cocina y allí encontré a Nana moviéndose al ritmo de las baladas mexicanas de la radio. Su vestido amarillo claro se movía con ella, casi rozando el suelo. Una mujer estaba sentada a la mesa de la cocina y bebía café. Me guiñó el ojo y sonrió.

—Tú debes ser Isadora —dijo.

Tenía la cara muy pintada: gruesos trazos negros delineaban sus párpados y sus labios estaban pintados por fuera del borde con lápiz anaranjado que hacía juego con su vestido, del mismo color y salpicado de pequeñas rosas.

—Izzy —respondí, tratando de acomodar mi cabello detrás de las orejas para que no se notara lo despeinado que estaba.

Me imaginé subiéndome al tejado para anunciar a todo el pueblo la noticia de última hora: ¡Me llamo Izzy, NO Isadora!

—Buenos días, mijita. Te presento a la señora Castillo. Su esposo es el señor que te trajo a casa ayer —dijo Nana, bajando el volumen de la música.

—Encantada de conocerla, señora Castillo —dije sentándome a su lado, frente a la larga mesa de pino, en el centro de la cocina.

—¡No, no, no! Llámame Tía —dijo, agitando los brazos.

Me pareció extraño que me pidiera que la llamara así cuando, en realidad, no era mi tía. Parece que me leyó el pensamiento.

—Todos los niños del pueblo me dicen Tía. Suena mucho más joven que señora, ¿no crees? —dijo.

Asentí con la cabeza por educación y se me escapó un bostezo.

—Tu mamá tampoco era muy madrugadora —se rio Nana—. Venía a desayunar en pijama, como tú, con el cabello desgreñado y los ojos medio cerrados.

Levanté las cejas, sorprendida.

—Pues, entonces ha cambiado mucho. Normalmente se va de casa antes de que yo me despierte para ir al colegio.

—¿Y quién te da el desayuno?

—Nana, tengo doce años. Soy capaz de servirme unos cereales.

—No en esta casa —dijo Nana, negando con la cabeza—. No, señor. Comerás comida casera todos los días. No me extraña que estés en los huesos.

De pronto, sentí que mi pijama me engullía y me ajusté el cinturón para que me ciñera la cintura.

La señora Castillo dejó su taza de café sobre la mesa y se quedó mirando sus largas uñas pintadas de rojo. Después, volvió a dirigir su atención a Nana.

—¿Sabías que Ramona no irá más a la iglesia?

—¿De verdad? —dijo Nana, volteándose.

La señora Castillo asintió con la cabeza.

—Es ese hombre con el que está saliendo, ese viejo bobo le ha lavado el cerebro para que piense que no irá al cielo si no va a su iglesia en la ciudad.

Nana asintió con preocupación.

—Entonces, ¿qué vamos a hacer hoy? —interrumpí.

Nana me miró y sonrió como si se hubiera olvidado de mi presencia. Después chasqueó los dedos encima de la cabeza y se dio vuelta.

—La fiesta, ¿no te acuerdas?

Me pregunté si me iba a gustar esa fiesta.

—Habrá música —aclaró la señora Castillo—. Mi hijo toca guitarra. Su cuarto está al lado del tuyo, del otro lado de la puerta.

—¿Es a él a quien escuché anoche? —pregunté.

—¿No te dejó dormir? —dijo Tía, y frunció el ceño—. Le dije que estabas aquí y que no debía tocar.

Nana sirvió unos huevos revueltos con chorizo en un plato y me lo puso delante.

—El cuarto de Mateo está al lado del tuyo. Alquilo la parte delantera de la casa a los Castillo. No quería poner paredes permanentes, así que dejé las puertas, con cerrojos, claro, para tener privacidad. Antes, la casa parecía un cañón totalmente abierto. Yo soy muy mayor para rellenar tantos espacios vacíos.

Metí los huevos en una tortilla y aparté el chorizo picante.

—¿Cuántos años tiene? —pregunté.

—Trece —dijo la señora Castillo.

—Es buen chico —dijo Nana.

—Y guapo también —añadió la señora Castillo con una amplia sonrisa y un guiño.

—Su papá me ayuda muchísimo aquí en casa —dijo Nana—. No te preocupes, mijita. No puede abrir la puerta.

Sentí que la nuca me hervía.

—¿Agua y jabón? —no entendía bien el lenguaje de Nana.

—Dulce y limpio —rio Nana.

La señora Castillo llevaba un anillo dorado en cada uno de sus dedos y los hacía girar sin darse cuenta.

—Bueno, debo irme a la peluquería —dijo la señora Castillo, levantándose y dándole un beso a Nana en la mejilla—. Gracias por el café.

¡Se inclinó y me besó a mí también!

—Adiós —se despidió y salió contoneándose con sus pantorrillas regordetas, apretadas por las tiras de sus sandalias de tacón.

Nana se apoyó en la mesa.

—¿Prefieres dormir en otro lado? Hay varias habitaciones libres. Pensé que te gustaría quedarte en el mismo cuarto donde dormía tu mamá.

Tenía la boca llena de huevos y tortilla, así que me limité a mover la cabeza de un lado a otro. La idea de empacar y desempacar *de nuevo* me horrorizaba. Me costaba admitirlo, pero nunca había dormido en una habitación tan bonita, y me gustaba.

—¿Esa habitación era de mi mamá?

—Sí. ¿Te sorprende?

—Es que no parece su estilo —negué con la cabeza, pensando en las paredes azules con adornos—. ¿Por qué nunca me trajo de visita?

Eché la cabeza hacia atrás y me metí lo que quedaba de la tortilla en la boca antes de que se salieran los huevos por el otro extremo.

Nana se volvió hacia el fregadero y empezó a lavar los platos.

—Ya sabes lo ocupada que está. A veces los planes se extienden tanto que se vuelven largos y finos y se rompen. Y, después, te quedas sin planes.

Giró para mirarme y se secó las manos en el delantal.

—Pero estoy *rebosante de encantada* de que vengas a pasar todo el verano aquí. He esperado mucho tiempo para conocerte mejor y enseñarte tu cultura.

—¿Querrá decir "rebosante de alegría"?

—No. —Nana agitó la mano en el aire—. Esos clichés son para gente sin originalidad. Yo uso las palabras que siento que están bien, no las que suenan bien.

◠◡

Al llegar la tarde, había puesto lámparas de metal con forma de estrella en los árboles, había acomodado sillas blancas de plástico alrededor de las mesas y había colgado una piñata verde limón en forma de burro en el álamo torcido del centro del patio. También había cubierto las mesas con tapetes multicolor y encendido los treinta y cinco cirios que había en el centro de cada una. El aroma a tamales, enchiladas y frijoles flotaba en el aire. Me sonaban las tripas.

—¿Necesitas ayuda?

Me di la vuelta y vi a un chico más o menos de mi edad. Estaba a la sombra y tenía un tapete multicolor en las manos.

—Eh... no. Creo que ya está todo.

—Tú eres Izzy, ¿verdad?

—Sí —dije cruzando los brazos—. Y tú, ¿quién eres?

Sonrió y dejó el tapete en una mesa cercana.

—Mateo. Tu nana me ha contado muchas cosas sobre ti; a mí y a casi todo el pueblo.

¡Era el chico del otro lado de la puerta!

Mateo se acercó a la luz. Sus ojos color caramelo brillaban.

—Eres de California, ¿verdad?

—Sí.

—Y, ¿cómo es California?

—Soleado —dije, encogiéndome de hombros.

—¿Eso es todo? ¿Solo soleado?

No sabía qué más quería que dijera.

—Bueno, la playa está bien. ¿Has ido alguna vez?

Negó con la cabeza y un mechón de pelo oscuro le tapó el ojo izquierdo.

—No, aún no. Pero pienso ir algún día. Hay muchos tesoros en California, ¿verdad?

—¿Tesoros?

Extendió los brazos y se apoyó en la rama de un árbol.

—Sí, ya sabes, como en las leyendas de tesoros enterrados y eso.

—Yo nunca he oído hablar de ninguno.

—Te preguntaba porque he estado leyendo un libro sobre el Oeste y dice que muchos tesoros enterrados allí nunca han sido encontrados. Hay algunos aquí, cerca del pueblo. Y, como soy buscador de tesoros, me gustaría echar un vistazo.

Me reí y lo miré más de cerca para asegurarme de que no me estaba tomando el pelo.

—¿Buscador de tesoros?

—Sí, voy a ser arqueólogo.

—¿Has encontrado algo alguna vez?

—Todavía no, pero lo haré. Tengo un mapa y todo. —Bajó los brazos, se metió una mano en el bolsillo y sacó un mapa.

Fui a tocarlo, pero retiró la mano.

—No puedes tocarlo.

—¿Por qué? —pregunté, enrollando un hilo suelto de mi camiseta en mi dedo meñique.

Levantó las manos y sacudió la cabeza.

—Es que... la leyenda dice que solo una persona valiente puede tocar el mapa o, de lo contrario, jamás se podrá descubrir el tesoro. Por eso siempre lo llevo conmigo.

Y, ¿por qué se creía valiente? Negué con la cabeza y levanté el mentón.

—Yo soy valiente.

—Tienes pinta de serlo. Pero tengo que estar seguro.

Por encima del hombro de Mateo, vi a una mujer alta y elegante que venía hacia la casa con un plato cubierto con papel de aluminio. Llevaba un vaporoso vestido, blanco y holgado, que le llegaba a los pies. Parecía una nube flotando lejos en el cielo. Tenía un largo cabello oscuro que le llegaba a la cintura con mechones blancos que se asomaban como rayos de luna en el cielo nocturno.

Cuando abrió la puerta del fondo, se volvió despacio y me miró fijamente. Sentí una opresión en el pecho por el peso de su mirada intensa. No podía apartar los ojos de ella.

—¿Qué miras con tanta insistencia? —me preguntó Mateo, dándose él también la vuelta.

Un viento suave atravesó el patio y el pelo me tapó los ojos, impidiéndome verla. Lo aparté rápidamente, pero era demasiado tarde.

Había desaparecido.

La voz de Mateo me devolvió al presente.

—Es Socorro.

—¿La conoces?

—Todo el mundo la conoce —se rio—. Es la cuentacuentos del pueblo.

—¿Cuentacuentos?

—Sí, ya sabes. ¿Alguien que narra historias? —Ladeó la cabeza, sorprendido—. ¿No hay nadie así en California?

Negué con la cabeza.

—¿Son buenas sus historias?

—Son las mejores.

Nunca había conocido a un cuentacuentos.

En ese momento, a Mateo se le ocurrió algo.

—Escucha. Nadie sabe por qué Socorro tiene esos mechones blancos en el cabello. Si tú se lo preguntas y ella te lo cuenta, demostrarás que eres valiente y podré enseñarte el mapa.

—¿Por qué nadie se lo ha preguntado?

Mateo se acercó a mí.

—Es vidente —susurró—. Ve cosas que nadie más puede ver, como el futuro. Y a una vidente nunca se le pregunta sobre sí misma.

—¿Y por qué quieres que lo haga yo? —le pregunté, dando un paso hacia atrás.

—Tú no eres de este pueblo. Pensará que no conoces las reglas. Y, si te lo cuenta, habrás descubierto un gran secreto —dijo, extendiendo la mano—. ¿Trato hecho?

Rompí el hilo de mi camiseta con mi dedo meñique.

—Trato hecho.

6

BUEN CORAZÓN,
ALMA SÓLIDA

Un par de horas después, se oía el murmullo de la muchedumbre que ya se reunía. No quería llegar tarde y que todo el mundo me mirara, como me ha pasado tantas veces en las escuelas nuevas. Me puse una falda blanca de algodón y la blusa amarilla sin mangas que estaba junto a ella. Al mirarme al espejo, mis rodillas huesudas me parecieron dos picaportes hinchados.

Afuera, se oían risas y música flotando en el aire. Todo el patio olía a rosas y especias mexicanas.

Buscando entre la multitud de caras desconocidas, vi a Mateo. Estaba sentado sobre un taburete en un rincón del patio, cantando y dando golpecitos a su guitarra, entre acordes. Parecía música española lenta. La voz ronca de Mateo hacía juego con la tristeza de la música y, por un momento, me pareció haber oído antes la canción. O tal vez fuera la tristeza lo que me resultaba familiar.

Un mechón de pelo negro le tapaba el ojo izquierdo y, de vez en cuando, miraba a los demás y sonreía. Cuando terminó la canción, miró hacia un lado, saludó con la cabeza y se levantó.

—Hola a todos. La banda de mariachis de los Castillo está a punto de llegar. Ya conocen a mi papá, siempre quiere hacer una entrada triunfal.

Todos rieron. Miró hacia mí, pero aparté de prisa la mirada. ¿Lo habría estado mirando con mucha insistencia?

—Mija, ¿por qué estás aquí solita? —dijo Nana, tomándome con sus manos pequeñas por el codo.

Me condujo hacia una mujer bajita, desaliñada, que estaba sola bajo un álamo, casi al final del patio. Tenía los hombros caídos y las arrugas pronunciadas de su cara se parecían a las grietas de la puerta de entrada de la casa.

Nana nos sonrió a su amiga y a mí.

—Y aquí están mis dos invitadas de honor, Izzy y Apa.

—Feliz cumpleaños —le dije.

Apa me miró y sonrió. Después, sus labios se abrieron ligeramente.

—Ah, tienes sus ojos verdes, esos ojos tan especiales —dijo, halándome y examinándome la cara—. Sí, son tan claros como los suyos, al igual que tu piel. Me recuerdas tanto a tu padre, querida.

Tuve la sensación de que mi cuerpo se cubría de chocolate caliente, desde el corazón hasta los dedos de los pies, llenándome de bienestar.

—¿De verdad?

Apa y Nana cruzaron una mirada silenciosa antes de que Nana añadiera:

—Pero su espíritu es completamente suyo.

Me senté, despacio, al lado de Apa.

—¿Conocía a mi papá?

—Claro que sí. Todo el mundo conocía a tu papá. Pasó muchos sábados ayudándome a arreglar mi pequeña casa de adobe. Él mismo puso el suelo. Y, cuando no me estaba ayudando a mí, ayudaba a los demás —dijo, y le sonrió a Nana—. Reparó la mitad de las paredes de la casa de tu abuela. Era capaz de construir o arreglar cualquier cosa.

Mi sonrisa era tan grande que casi no me cabía en el rostro.

Apa se inclinó hacia mí como si fuera a decir algo de suma importancia.

—Era un hombre de buen corazón y alma íntegra. Demasiado bueno para este mundo nuestro.

—Ojalá lo hubiera podido conocer.

Nana se puso de pie y aplaudió.

—¡Es la hora de la piñata! Tenemos que encontrar a Maggie.

—Buena idea —añadió Apa—. ¿Me podrías alcanzar el bastón, querida? —preguntó, poniendo los ojos en blanco—. Esa nieta mía siempre está inventando algo.

No quería que se fuera. Quería que me contara más cosas sobre mi papá, sobre mis orígenes.

—Yo la puedo buscar, si quiere —me brindé, poniéndome de pie.

Apa se relajó en su silla.

—La reconocerás enseguida. Tiene el pelo rubio. Es más o menos de este tamaño —dijo, señalando mis costillas— y tiene seis años.

—No se vaya. Vuelvo enseguida.

Antes de irme, me agarró por la muñeca.

—No creo que esté en la fiesta. Debe andar por ahí, explorando. —Señaló con la cabeza hacia los árboles que había más allá del césped, el mismo lugar donde mi pelota había desaparecido el día anterior.

Salí corriendo por la rosaleda cuesta abajo en busca de una niña a la que no conocía. Corría rápido y sin dirección. Me sentía bien. Había luz suficiente para ver el camino y la brisa de la tarde me acariciaba la cara.

Puse las manos ahuecadas alrededor de la boca.

—¿Maggie? —grité.

No sabía qué dirección tomar y me detuve un momento para recobrar el aliento.

El viento silbaba por entre mi cabello largo.

Sentí unos pasos ligeros sobre las hojas y me volteé para ver qué había detrás.

7

La gataperra

—¿Has visto una perrita gris?

Era una niña de ojos azules como lagos. La luz del sol vespertino atravesaba las ramas de los árboles y se posaba en su rostro pálido.

—Tú debes ser Maggie.

—Oye, ¿cómo sabes mi nombre?

—Acabo de conocer a Apa. Me pidió que te buscara. Yo soy Izzy. Estoy pasando el verano aquí con Nana.

Un destello de duda pasó por sus ojos entrecerrados antes de sonreir.

—Apa me habló de ti.

—¿De verdad? ¿Qué te contó?

El hipo la hacía dar saltos.

—Tengo que encontrar a Frida. ¿Puedes ayudarme?

La música de los mariachis flotaba por las colinas, recordándome que quería regresar a donde estaba Apa para que me contara más sobre mi papá.

—De acuerdo, pero tenemos que darnos prisa antes de que se ponga el sol.

La encontramos tumbada bocarriba bajo un árbol, con sus bigotes grises apuntando al cielo. Llevaba diez minutos buscando a una perrita y resultaba que Frida era una gata: una gata de color gris claro con una franja de pelaje más oscuro encima de los ojos, como una sola ceja larga. Apa me contó después que la habían nombrado de ese modo por la famosa artista mexicana Frida Kahlo, quien tenía las cejas así. Hasta me enseñó una foto.

—¿Ahora ves el parecido? —me preguntó.

Maggie enganchó una correa en el collar de Frida.

—¡Esta perrita se ha *portao* muy mal! Esta noche no te voy a dar tu huesito.

—Tal vez no le gusten mucho las golosinas para perros. Después de todo, es una gata.

Maggie se puso el dedo índice en los labios y dijo con el ceño fruncido:

—*Shhh*. Le gusta ser perro. Y le encantan las golosinas para perros, sobre todo cuando les unto un poco de mantequilla de maní. Pero hoy no habrá mantequilla de maní para ella.

Maggie y yo regresamos a la casa, envueltas en el aire tranquilo de la noche. Me sorprendió ver que Frida, la gataperra, paseaba tranquila y contenta con su correa.

—¿Vives con Apa? —pregunté.

—Sí —dijo Maggie, señalando hacia el sur—. A unos pocos árboles y piedras de allí, justo después del río. Apa dice que solo se tarda el guiño de un ángel en llegar. Y tú, ¿con quién vives?

—Con mi mamá. En California.

—Antes, yo vivía con mi mamá y mi papá, pero se fueron al cielo.

Maggie me enseñó una mochila de algodón magenta que llevaba a la espalda.

—Mi mamá me hizo esta mochila especial.

—¿Especial?

Maggie se sentó en el suelo con las piernas cruzadas y acarició a Frida entre las orejas.

—Le hizo *bordaos* bonitos con lana. Incluso, un coyote que le aúlla a la luna. ¿Lo ves? —preguntó, señalando un coyote amarillo en el centro de la mochila—. Apa dice que la lana de mamá era especial y que podía hacer cualquier cosa con ella. Tenía una cesta llena de retazos. Me quedé con todos y los guardé aquí. A veces me pregunto si extraña su lana. Pienso devolvérsela.

Recordé la pelota de papá y me pregunté si la extrañaba. Después, me pregunté si él me extrañaba a mí.

—¿Cómo piensas devolvérsela?

—Voy a hacer una escalera con la lana. Va a llegar al cielo —dijo Maggie, mirándome—. ¿Crees en los fantasmas?

—Nunca he visto ninguno.

—Pues, yo sí creo en ellos. Vi uno la semana pasada flotando por la ventana —dijo, riendo—. Parecía un malvavisco transparente.

Me reí con Maggie mientras caminábamos hacia el césped, donde centelleaban las luces amarillas de las velas.

—¿Cómo sabes que era un malvavisco, si era transparente? —pregunté, riéndome.

—Porque olía a malvavisco.

Maggie se unió a la fiesta dando saltos, con Frida a su lado. Yo la seguí, ansiosa por volver junto a Apa y escuchar más cosas sobre papá.

—Ay, Izzy, ya estás aquí. Te esperábamos. Apúrate —dijo Nana, halándome por el brazo—. Ven, tienes que romper la piñata. El invitado de honor siempre da el primer golpe.

Los niños se apiñaron debajo del álamo del que colgaba la piñata, que se mecía con la brisa. El señor Castillo sostenía el extremo de la cuerda con ambas manos. Nana me puso un bate en la mano y me pidió que me agachara para vendarme los ojos. Me ajusté el pañuelo rojo alrededor de la cabeza y me alegré de no poder ver a toda la gente que me miraba.

Nana me dio tres vueltas, con cuidado. Sentí cómo sujetó la piñata frente a mí y puso mi mano sobre ella.

—Está justo delante de ti.

Extendí la mano izquierda para tocar el burro, pero el señor Castillo tiró del otro extremo de la cuerda, poniendo la piñata fuera de mi alcance.

Las voces de la multitud zumbaban en mis oídos y las cigarras cantaban en los árboles. Inclinándome hacia adelante, golpeé el aire con el bate en todas direcciones, pero la piñata se me escapaba cada vez. Decidí quedarme quieta para tratar de sentir dónde estaba la piñata. Justo cuando estaba a punto de batear de nuevo, sentí que una ráfaga de aire la empujaba hacia arriba. Llevé rápido el bate hacia atrás y lo estampé contra la piñata, tan fuerte que la abrí en dos. Los murmullos de la multitud se convirtieron en vítores atronadores. Las golosinas cayeron a mis pies y todos se me acercaron.

Cuando me quité la venda, los niños andaban por la hierba tratando de recoger las piruletas y los chicles.

—¡Batea como su papá! —gritó una mujer.

¿Quién había dicho eso? Me pareció que la gente daba vueltas, como en un carrusel, y todas las caras se me confundían.

—¡Izzy, mira cuántas golosinas tengo! ¿Quieres el chicle? —dijo Maggie, tocándome el brazo. Había recogido un montón de golosinas en su falda.

—¿No te gusta el chicle? —pregunté.

—Estos son *Chiclets* de México y siento que saben raro —dijo, arrugando la nariz—. Tienes que masticar muchos para poder hacer un globo. ¡Y ni siquiera se hacen bien!

—Dame algunos. ¿Sabes dónde está Apa? —pregunté, aceptando los *Chiclets*.

—Quizás ha *regresao* a casa. Se cansa rápido.

—¿Quién te llevará a casa, entonces?

—Ya te dije que solo vivo a un guiño de ángel. Puedo ir sola. A veces, Mateo nos lleva a Frida y a mí.

—Oye, ¿vas a compartir los chicles? —dijo una voz familiar.

Al voltearme, vi a Mateo frente a mí con las manos abiertas.

—Claro. —Me encogí de hombros y le di algunos.

—Ay, Izzy cree que eres lindo —dijo Maggie, tapándose la boca.

Las palabras se me atoraron en la garganta. Quería protestar pero, antes de que pudiera defenderme, Mateo habló.

—¿Y tú cómo lo sabes? —dijo con una sonrisa burlona.

—Cuando a una niña en mi escuela le gusta un niño, comparte con él los caramelos, chicles o cualquier otra cosa que haya llevado de almuerzo.

—Yo no estaba pensando en nada de eso. Simplemente le di lo que tenía en la mano —dije.

Pero también quería decirle que no me gustaba y que ella solo tenía seis años y no tenía ni idea de lo que decía y que, por tanto, ¡me dejara en paz!

Maggie se encogió de hombros y salió corriendo tras algo que le había llamado la atención. Frida la siguió, moviendo la cola como si fuera un perro.

Mateo se quedó frente a mí. Estaba lo suficientemente cerca para darme cuenta de que era un pelín más alto. Me acomodé el cabello detrás de las orejas.

—Bueno, ¿ya le preguntaste a Socorro por su pelo?

—No, no la he vuelto a ver.

—Debe haberse marchado temprano —dijo, y se apoyó en un árbol, sonriendo—. Te podría llevar a su casa, si quieres. Vive cerca del río.

—Sí, claro —dije, intentando parecer segura.

—¡Allí estás, Mateo! —dijo una voz chillona detrás de mí.

La señora Castillo caminaba con cuidado por la hierba, tratando de evitar que sus tacones se clavaran en la tierra. Llevaba un vestido de noche, dorado, sin tirantes, más adecuado para un baile de graduación que para una fiesta en un patio.

—Hola, mamá —dijo Mateo, alejándose del árbol y parándose derecho.

—Ayúdame a recoger —dijo ella, guiñándome un ojo—. Hola, Izzy.

—Hola, señora Castillo.

—No, no. Tía. ¿Te acuerdas? —dijo.

Llevaba el pelo recogido en un moño, sujetado con pequeñas hebillas brillantes.

—Tía —asentí con la cabeza y sonreí.

—¿No es bonita? —dijo Tía.

Mateo puso los ojos en blanco.

—Vaya, mamá. ¿Siempre tienes que hacerme pasar pena?

Sobre los árboles, las cigarras chirriaban y hacían crujir las alas. Deseé tener alas para salir volando.

Mateo se volvió hacia mí.

—O sea, *eres* bonita, supongo, o sea... Vaya, olvídalo —y, diciendo eso, me dio la espalda y se dirigió a la casa.

¿Pensaría de verdad que yo era bonita?

—Siempre lo hago pasar pena —dijo Tía, riéndose—. Pero no es mi intención. Será porque es adolescente. ¿Tu mamá te hace lo mismo?

Que yo recordara, mamá nunca había sido tan atrevida, pero quería que Tía se sintiera mejor.

—Claro. Todo el tiempo —dije.

Esa noche, no pude dormir y me senté en el escritorio de mi habitación a escribir en mis fichas:

Había una vez un lugar encantado donde la gente volaba por los cielos para escuchar la voz del viento. Pero el viento no hablaba. Un día, llegó una niña errante y oyó que el viento la llamaba. Tenía un secreto que solo ella podía oír.

El pulso constante de la noche comenzaba a caer y sentí el peso de la mirada intensa de una estrella a través de una de las ventanas de mi cuarto. Miré la pelota, que descansaba sobre el pequeño escritorio de madera curtida. Sentí el fresco de los azulejos de Saltillo bajo mis pies descalzos. "¿Cuál podría ser el secreto?".

Me subí encima del escritorio, abrí lentamente una de la ventanitas que enmarcaban las estrellas y esperé a que el viento me lo dijera.

8

HISTORIAS INCONCLUSAS Y TOMATES APLASTADOS

—¿No te gustan las calabacitas? —preguntó Nana la semana siguiente, mientras almorzábamos en el largo porche de atrás.

Clavé los ojos en mi plato y arrugué la nariz. No me atreví a decirle que la calabaza y el maíz estaban demasiado blandos.

—Será que no estoy acostumbrada a comerlas.

—A veces, uno tarda en sentirse a gusto con las cosas nuevas.

Nana se paró y atravesó el césped rumbo al huerto. Su vestido blanco brillante barría la tierra. Bajo esa luz, parecía un ángel. Pasé los dedos por las costuras de la pelota en mi regazo. Me sentía bien con ella en las manos y, por alguna razón, me acercaba más a papá. Solía llevarla adondequiera que fuera.

Cuando Nana regresó, puso dos tomates en la mesa.

—Estos te van a encantar.

Nana volvió a sentarse y limpió los tomates con una servilleta. Notó la pelota en mi regazo.

—¿De dónde sacaste eso?

—La encontré. Era de mi papá.

Nana dudó y sus ojos me escrutaron el rostro.

—Era un buen hombre.

—Hábleme de él —le pedí y me senté en el borde de la silla—. ¿Qué le gustaba comer? ¿Dónde se crió? ¿Cómo conoció a mi mamá?

Recostándose en su silla, Nana comenzó a contar, sin prisa.

—Se crió en Albuquerque y le encantaba la comida que yo cocinaba. En realidad, le encantaba cualquier comida picante.

—¿Me... me parezco en algo a él?

Nana asintió y juntó las manos sobre su regazo.

—Me recuerdas bastante a él. Ahora, prueba mis tomates.

—Pero, quiero saber más.

Nana cortó el tomate más grande y jugoso.

—Todas las historias se cuentan a su debido tiempo, igual que los tomates necesitaron tiempo para crecer en la rama hasta madurar —dijo, dejando que el jugo se deslizara por su dedo pulgar—. Una historia verde es como un tomate verde: no sirve.

Un trozo de tomate se resbaló y cayó al suelo. Me dio otro trozo y me lo metí en la boca. Su jugo sabroso se deslizó por mi lengua y bajó por mi garganta. No tenía nada que ver con los tomates que compraba mamá en el mercado.

Otra historia sin acabar... Sentí que la decepción crecía dentro de mí. Suspiré y aplasté con un tenis el trozo de tomate que había caído al suelo.

—Hoy tengo mucho trabajo que hacer, así que le pedí a Mateo que te llevara a dar una vuelta por el pueblo.

—Puedo ir sola —dije, mirando la mancha de tomate en el suelo.

—No, es mejor tener guía —dijo Nana, riendo—. Él te llevará al centro. Es el corazón del pueblo, de nuestra gente y de todos nuestros antepasados —añadió, dándome una palmadita en el hombro.

Una hora más tarde, cansada de esperar por Mateo, fui a buscarlo. Bajé en zigzag colina abajo, más allá del jardín. Cuando lo encontré, estaba dormido en una hamaca atada a dos álamos. Me acerqué de puntillas, con la idea de asustarlo, pero, en lugar de voltear su hamaca como pensaba hacer, me quedé mirando su rostro sereno. Por un momento, me pregunté si mi padre habría tenido un aspecto tan apacible cuando murió, pero aparté ese pensamiento. Di un paso atrás y me sobresalté, una ramita crujió bajo mis pies.

Mateo saltó y se cayó de la hamaca. Me tapé la boca para disimular la risa.

Se levantó, sacudió la tierra de sus *jeans* y miró hacia la casa.

—No... no te oí. ¡Cuánto tiempo tardas en almorzar! Llevo una hora esperando.

—Querrás decir durmiendo —dije entre dientes.

Creo que no me oyó porque dio una palmada.

—¿Lista? —preguntó.

Asentí y echamos a andar por el mismo camino estrecho que yo había explorado el día que llegué a casa de Nana. Mateo cogió una ramita del suelo y la fue partiendo en trocitos que iba regando mientras caminábamos.

—Y... ¿siempre has vivido aquí? —pregunté.

—Toda la vida —dijo y, parando de repente, levantó una ceja—. ¿Por qué nunca habías venido?

—Mi mamá está trabajando en su doctorado y supongo que nunca hemos tenido tiempo —dije, encogiéndome de hombros.

Mateo y yo continuamos la marcha, ahora con pasos sincronizados.

—Entonces, ¿tu mamá no es curandera?

—¿Mi mamá no es qué?

—Ya sabes, alguien que cura a la gente con hierbas y cosas así. A Nana viene a verla gente de todas partes.

—¿Es como curar a la gente con magia?

—No sé... —dijo, riéndose—. Solo sé que funciona.

Señaló con la cabeza la pelota en mi mano y cambió de tema.

—¿Juegas?

—He jugado en la escuela, pero no estaba en un equipo ni nada. ¿Y tú?

—Solo para divertirme.

Lancé la pelota al aire pero, antes de que pudiera atraparla, Mateo la agarró con una mano.

—¿Esto qué es? —preguntó, señalando las palabras escritas en la pelota—. Parece que falta algo.

—No lo sé. Creo que lo escribió mi papá.

Asintió, como si entendiera.

—Yo calculo que faltan siete u ocho letras. Y tienen que ser dos o tres palabras porque siempre hace falta un sujeto y un verbo y...

Mateo echó la cabeza a un lado y se rio.

—¡Pareces una profesora de gramática! —dijo, y me lanzó la pelota.

—No lo soy —dije, atrapándola—, pero todo el mundo sabe que una frase necesita un sujeto y un verbo. Al menos, en California es así.

Volvió a reír, cosa que no esperaba. Cualquiera de los chicos que conocía en California se habría enojado.

—Además, soy escritora. Tengo que saber esas cosas —dije.

—¿Qué tipo de cosas escribes?

Lancé de nuevo la pelota al aire, pero no logré atraparla. Mateo corrió a buscarla.

—Todo lo que se me ocurre. Ahora mismo estoy trabajando en un cuento sobre... —Me detuve, acordándome del mapa—. No puedo contártelo. Lo siento.

Mateo pasó por alto mi último comentario. Lo ignoró completamente. Sonrió y asintió con la cabeza, como si él también se hubiera acordado.

—Deberías hablar con Socorro acerca de tus cuentos —dijo, dando vueltas a la pelota en la mano—. Ahora solo tenemos que saber cuál es el verbo y el sujeto. Oye, yo sé un verbo: ¡correr!

Y salió como un rayo por el estrecho camino mientras yo le pisaba los talones.

Corría rápido, pero yo era más rápida. Solo que necesitaba más espacio. Cada vez que intentaba adelantarlo, se movía hacia la izquierda o la derecha para bloquearme. Cuando el camino se ensanchó, vi mi oportunidad. Me ardían los pulmones, pero lo llamé:

—Oye, ¡Mateo!

Me echó una mirada. Lancé la pelota fuera de su alcance.

—¡Atrápala!

Cuando redujo la velocidad para recoger la pelota, pasé volando rumbo hacia las casas de adobe que había más adelante.

—Eso... fue... un... golpe... bajo —dijo entre jadeos cuando me alcanzó, agachándose para apoyar las manos en las rodillas.

Apreté la mano contra el costado, que me dolía, y reí.

—También lo fue comenzar una carrera sin avisar.

Mateo se enderezó, recobró el aliento y me lanzó la pelota.

—¡Madre mía! Sí que eres rápida.

Agarré la pelota y sonreí triunfalmente.

Mateo me devolvió la sonrisa y echó a andar por un camino entre dos casas de adobe.

—Ven, te voy a enseñar el pueblo.

Al pasar por las calles, la gente que estaba sentada en los portales nos saludaba con la mano. Un perro y una cabra cruzaron justo delante de nosotros y el mismo niño que se había manchado los zapatos de helado les gritaba para que volvieran.

—¿Cuán grande es este pueblo? —pregunté mientras caminábamos.

—Esto que ves, a menos que incluyas a los que no vivimos en el centro, como nosotros. Ahora no vive mucha gente aquí. La mayoría se ha ido a la ciudad.

Doblamos a la izquierda y bajamos por una cuadra idéntica a la anterior. Imaginé a mi papá pasando por estos caminos, sonriendo y saludando a los vecinos.

—¿Por qué se va la gente? —dije, pensando en mi mamá. Mateo se encogió de hombros y sonrió.

—No lo sé, pero yo siempre voy a tener una casa aquí. Incluso cuando me vaya a buscar tesoros. Sé que siempre volveré. Mi papá dice que aquí es donde nuestra familia tiene sus raíces.

Sentí un poco de envidia porque Mateo tenía raíces, un lugar al que llamar casa. Tal vez era por eso que mamá siempre quería mudarse. Le daba miedo que echáramos raíces.

El aroma de pan dulce llenó el aire.

—¿Por qué las tiendas parecen casas de vivienda?

Mateo lanzó la pelota al aire y esta vez yo la atrapé con una mano.

—La mayoría de las tiendas están en la parte delantera de las casas.

Me detuvo frente a una puerta pintada de amarillo chillón. Arriba había un cartel que decía "Pastelería" con letras moradas escritas a mano.

—Esta es mi favorita —dijo con una sonrisa.

Atravesamos un pequeño patio, donde había macetas de terracota llenas de geranios rosados a ambos lados. Sobre la puerta, color turquesa brillante, había un azulejo pintado que decía: "Mi casa es su casa".

Dentro, el aroma cálido de la vainilla y la canela flotaban en el aire. Se me hacía la boca agua mientras esperábamos. Mateo agarró una cajita rosada del mostrador y la llenó con una docena de panes dulces.

Abrí mucho los ojos y me pregunté cómo se iba a comer todo eso. Creo que me leyó el pensamiento, porque se volteó y me dijo:

—Son para llevárselos a Nana.

Cuando salimos, me dio algo que parecía un taco. Tenía azúcar por encima y los bordes trenzados.

—Es una empanada de manzana.

Se comió la mitad de la suya de un solo bocado. Sus mejillas estaban tan infladas que pensé que tendría que escupir un poco para poder tragar.

Yo le di un pequeño mordisco a la mía.

—No, no. Tienes que morder más grande para encontrar el relleno —dijo mientras tragaba. Sacó otra empanada de la caja y se metió la mitad en la boca—. ¡Así!

Respiré profundo y lo imité. Dejé que el relleno de manzana calentito se deslizara por mi lengua. Estaba delicioso.

—¿Ves? —rio Mateo—. Está rica, ¿no?

Asentí y sonreí lo mejor que pude, con la boca llena. Pasamos por una floristería, un mercadito y varios puestos de fruta.

La gente que paseaba por el pueblo nos sonreía al pasar. Un señor mayor con bastón en la mano nos saludó quitándose el sombrero de paja.

—Buenos días, Mateo —dijo.

Cuando llegamos a la plaza central, ¡me había zampado tres empanadas!

—Esa es la iglesia del pueblo —dijo Mateo, señalando la misma iglesia por la que había pasado antes con el señor Castillo.

La iglesia estaba situada en el extremo este y marcaba, según Mateo, el límite del pueblo. Había más tiendas alrededor de la plaza y el césped crecía como una alfombra verde debajo de un grupo de álamos gigantes. Nos dejamos caer en la hierba para refrescarnos a la sombra. Hice rodar la pelota hacia Mateo.

Se apoyó en los codos y, con los ojos medio cerrados, miró el sol que se asomaba entre las ramas de los árboles. Luego, observó fijamente la pelota.

—¿Crees en la magia? —dijo, haciendo rodar la pelota hacia mí.

La hierba se sentía fresca debajo de mis manos.

—¿Qué tipo de magia? ¿Deseos y cosas así?

—No, más bien cosas que no te puedes explicar de otra manera. Como que Socorro pueda ver el futuro. Oye... —dijo, mirando por encima de mí—. Hablando de... mira.

Miré hacia donde Mateo señalaba. Vi a Socorro subir de prisa las escaleras de piedra de la iglesia.

—Parece que está muy ocupada.

No me sentía preparada para hablar con Socorro. Ni de sus mechones blancos, ni mucho menos de mis cuentos.

—Entonces, la esperaremos —dijo él.

Me sentí atrapada. Si me negaba, Mateo pensaría que yo no era valiente. Me levanté y me sacudí el *short*.

—No puedo —dije.

—¿Por qué? —Mateo se levantó de un salto.

—Tengo que irme —balbuceé, mirando el reloj—. A lo mejor mi mamá llama esta noche.

No era del todo mentira. Mamá había dicho que trataría de llamar cada vez que estuviera cerca de un teléfono. Pero no había llamado. ¿Y si no llamaba nunca? ¿Si el verano duraba para siempre? Recordé sus palabras la noche que habló con Nana: "¿Crees que me perdonará?".

—Bueno —suspiró Mateo—, ¿cuándo quieres venir a verla?

—Tú crees que no me va a llamar —dije, poniéndome las manos en las caderas.

—Yo no dije eso —respondió Mateo—. ¿Por qué lo dices?

—Pues va a llamar. ¡Esta noche! —grité y recogí mi pelota del césped y la apreté hasta que mis nudillos se pusieron blancos.

—Oye, ¿estás bien? —dijo Mateo, poniéndome la mano en el hombro.

—Ni siquiera me conoces. ¡Yo no quiero ser parte de tu tonta búsqueda de tesoros! —dije, y eché a andar hacia la casa de Nana.

—Oye, ¡espera! —gritó mientras corría a alcanzarme—. Solo estaba diciendo que tal vez sea una señal el hecho de que Socorro haya aparecido. ¡Y mi búsqueda de tesoros no es ninguna tontería!

Dejé a Mateo y me fui corriendo a casa de Nana. No necesitaba agradarle. Además, ¿qué tenía de maravilloso su búsqueda de tesoros? Apreté con fuerza la pelota. ¿Por qué mamá no había llamado?

Una pequeña brisa me envolvió el brazo, alejándome del camino del río.

—*Bella* —dijo, susurrando.

—Te equivocas de chica. Yo me llamo Izzy.

La casa de Nana resplandecía a los lejos y me aparté del viento antes de que me pasara por encima.

9

LAS TORTILLAS SON
COMO LA VIDA

La postal llegó dos días después. En la foto se veía una catarata en medio de una jungla color esmeralda. Un pájaro verde y anaranjado flotaba en el cielo.

Querida Izzy:

La selva tropical es impresionante. Esta mañana, vi un bebé cocodrilo y un mono araña. Los quetzales tienen unos colores deslumbrantes. Tienen la cabeza verde brillante y el cuerpo rojo carmesí (como el de esta postal). A veces, parece que están suspendidos por hilos en el cielo. ¿Viste la luna llena el domingo?

Te quiere,

Mamá

Era extraño y a la vez reconfortante saber que, a pesar de que mamá estaba lejos, compartíamos el mismo sol, la misma luna y las mismas estrellas. Aunque me resultó raro que se fijara en la luna. Siempre estaba demasiado ocupada como para fijarse en ese tipo de cosas. Una vez, la luna era tan grande y redonda que parecía que extendiendo la mano podría tocarla desde el balcón de nuestro apartamento. Llamé a mamá para que viniera a verla, pero solo asintió con la cabeza y siguió absorta en su libro.

—Sí, es bonita, ¿verdad? —dijo.

Acaricié con los dedos la foto de la catarata. ¿Por qué no había llamado? ¿No me extrañaba? ¡Yo tenía tantas cosas que contarle!

Me senté en el escritorio para escribirle una carta.

Querida mamá:

Ayer recibí tu postal y, aunque no te puedo enviar esta carta, escribirte me hace sentir como si estuviera hablando contigo. ¿La estás pasando bien? A veces, el viento me habla. Quiere que lo siga. ¿Qué crees que me quiere contar?

Del otro lado de las ventanas de mi cuarto, a lo lejos, flotaba un globo aerostático amarillo. Parecía tan pequeño como una abeja.

—¿Izzy? —llamó Nana desde la cocina.

Guardé la carta en una gaveta y corrí a la cocina para mi primera lección de cómo hacer tortillas.

Al doblar hacia la cocina, me di en la frente con el dintel de la puerta. *¡Pum!* Me masajeé la cabeza. La casa de Nana tenía cien años y sus puertas, estrechas y bajitas, estaban diseñadas para proteger de los ataques enemigos en tiempos de guerra. También ayudaban a mantener el calor o el frío, pero a mí me hacía más gracia lo de los ataques.

—Siempre sé cuándo te estás acercando porque vas haciendo ruidos con todo lo que tropiezas, Izzy. ¿Cuándo aprenderás a caminar más despacio y bajar la cabeza? —dijo Nana entre risas.

Las puertas ofrecían protección contra los enemigos altos, pero Nana, con su metro y cuarenta y ocho centímetros de estatura, no tenía ningún problema para pasar. A mí, en cambio, ya me dolía la cabeza.

En la cocina, la luz del sol rebotaba en las paredes, y el reconfortante aroma de arándano y lavanda llenaba el aire. Con solo entrar allí me sentía bien, como cuando me tumbaba al sol o enterraba los pies en arena suave.

—¿Estás lista, mija?

—Sí.

—Entonces, lávate la manos y no olvides repetir *tres* veces el avemaría para ahuyentar los gérmenes.

De pronto, tragué en seco como si me hubiera atorado con una pelota de béisbol.

—Pero, no me lo sé.

—¿No te sabes el avemaría? —preguntó Nana arqueando una ceja—. ¿Tu mamá no te ha llevado nunca a la iglesia?

Negué con la cabeza, sintiéndome pequeña y tonta. Nana respiró profundo.

—Podemos decirlo juntas.

Mientras me lavaba la manos, Nana rezó el avemaría:

—*Dios te salve, María, llena eres de gracia...*

A la tercera vez, ya había memorizado la última parte de la oración: ...*reza por nosotros, pecadores, ahora y en la hora de nuestra muerte.*

Nana me amarró un viejo delantal amarillo a la cintura y me abrazó.

—Ahora, lo primero que debes saber es que, aunque hacer tortillas sea un arte perdido, no debes comprarlas en la tienda, mija —dijo—. Saben a caucho.

Nana se recogió el pelo con un lápiz.

—Y lo segundo es que las tortillas son como la vida. Mientras más simples, mejor. Para hacer tortillas, solo necesitas harina blanca, manteca y agua caliente.

Me senté en un taburete de madera cerca del mostrador y la miré mezclar los ingredientes con sus manos pequeñas y robustas. Preparó dos cuencos, uno para cada una.

—¿También le enseñó a mamá a hacer esto? —pregunté.

Nana asintió.

—Lo intenté. Ahora mete tus manos en el cuenco para trabajar la masa.

Empujé, estiré, torcí y apreté la masa. Pero la mía no se parecía en absoluto a la de Nana. Era caliente y prin gosa y se me pegaba a las manos como si fuera pegamento.

—Creo que no me está quedando bien.

Nana dejó escapar una risita y apartó mi cuenco. Después, me dio el suyo.

—A tu mamá nunca le gustó la cocina. Siempre prefería estar al aire libre. Toma. Trabaja esta masa.

Me limpié los dedos pegajosos en el delantal e intenté de nuevo. Apreté la masa entre los dedos.

—Ay, mijita. No es plastilina. No la aprietes tanto. Sé más delicada. Deja que ella misma tome forma.

—Tal vez yo no sirvo para hacer tortillas.

—Puedes hacer cualquier cosa que te propongas si le pones el corazón.

Volvimos a intentarlo, pero esta vez Nana me ayudó. Me apretó las manos contra la masa. Sus manos eran lisas como el cristal.

—Hacer tortillas parece difícil al principio, pero, si practicas, lo dominarás en poco tiempo —dijo Nana, y señaló al cuenco—. Mira, ya no se pega. Ahora, vamos a buscar a Marta.

—¿Quién es Marta?

Nana arqueó las cejas como si yo debiera haberlo sabido.

—Es una de las santas patronas de los cocineros.

Agarró la imagen de plástico de Santa Marta que había en el alféizar de la ventana y la puso al lado del cuenco. No tenía ni ocho centímetros de alto. Tenía una mano en el pecho y en la otra cargaba una cruz. Entonces, Nana metió la mano en un pequeño armario, sacó una botellita color ámbar y espolvoreó algo sobre la masa.

—Esta es una receta muy especial, sagrada. Y este es su ingrediente secreto. La gente viene de todo Albuquerque para comprar estas tortillas. A veces no doy abasto. Pero solo uso el ingrediente secreto cuando alguien lo necesita de verdad.

—¿Y cuándo lo necesitan?

—Bueno, a Maggie le gusta comerlas cuando Apa está muy pálida y ella se preocupa. La señora Gómez, que vive al lado, comió tantas cuando se murió su esposo que ahora parece un taco relleno —dijo Nana, mezclando el ingrediente secreto con las manos—. A veces, no tiene nada que ver con la tristeza. Puede ser, simplemente, que el corazón de alguien necesite una bendición.

—¿Y lo sabe porque es cura? —pregunté.

—¿Querrás decir curandera? —se rio.

—Sí, eso.

Espolvoreó harina sobre la mesa de pino y formó bolitas con la masa. Agarré un trozo y repetí sus movimientos.

—Muy bien, Izzy. Lentamente, con paciencia.

Entonces, aplastó una de las bolitas con su rodillo de madera.

—Ay, mija, haces preguntas muy buenas. Sí, soy curandera. Conozco los métodos antiguos para encontrar y mezclar hierbas que quitan el dolor y curan a la gente. ¿Quién te lo contó?

—Mateo.

—Ah. Entonces, ¿ustedes son amigos?

Eso me parecía, pero después de mi comportamiento el otro día no sabía qué pensaría de mí.

—Supongo que sí. ¿Qué tipo de dolores? ¿De estómago y eso?

Aplasté mi bolita con el rodillo, pero no quedó redonda como la de Nana. La forma de la masa se parecía más bien al estado de Texas.

—La mía no queda igual.

Nana sonrió y siguió trabajando.

—Tienes que ser paciente. Inténtalo de nuevo.

Me habló de todas las enfermedades que curaba, como dolores de estómago y de cabeza, sarpullidos, alergias y cosas parecidas.

—Y un corazón roto, ¿también puedes curarlo? —dije, empujando el rodillo contra la masa con fuerza y rapidez, pensando en mamá.

Nana dejó de trabajar y se limpió las manos en su delantal.

—Las tortillas pueden abrir el corazón poquito a poco, para que salga la tristeza o se llene el vacío. Pero solamente si la persona está lista.

—¿Cómo sabe que está lista?

—Lo sabes aquí —dijo, y cerró la mano en un puño y se la llevó al pecho—. Sientes como si te faltara algo.

—¿Cómo lo que yo siento por mi papá? ¿Que es peor porque mamá nunca quiere hablar de él?

Nana asintió y entrecerró los ojos como pensando en lo que dije. Alrededor de sus ojos, aparecieron pequeñas arrugas.

—Sí, mija.

Pensé que cambiaría de tema, como hacía mamá, pero volvió a asentir con la cabeza, dándome a entender que podía seguir hablando. Respiré profundo y dije, despacio:

—La noche de la fiesta, alguien dijo "¡Batea como su papá!". ¿Qué querían decir?

Nana señaló las tortillas crudas.

—Alcánzamelas para ponerlas en el comal.

Me levanté y se las fui dando una por una mientras ella las iba poniendo rápidamente en la sartén plana de hierro. Trabajaba con la misma velocidad que una rana atrapa su presa con la lengua. Sabía que yo nunca podría ser tan rápida como Nana.

Apiló las tortillas en una cesta. Antes de que se enfriaran, agarré una, le unté mantequilla, la rocié con miel y la enrollé.

Nos sentamos a la mesa larga de la cocina y disfrutamos del fruto de nuestro duro trabajo. El primer mordisco estaba calentito y me supo a gloria. Cayó en mi estómago y me llenó.

Nana limpió una gota de miel de la mesa con su dedo meñique.

—Es natural que una chica quiera conocer a su papá.

Saqué otra tortilla de la cesta y le rocié miel.

—Tu mamá era muy joven cuando lo conoció —suspiró Nana—. Al principio, yo no quería que saliera con él.

—¿Por qué no? —pregunté.

—Ah, siempre había soñado con que se casara con un hispano católico, como hicimos la mamá de mi mamá, mi mamá y yo —dijo, mirándome a través de un mechón de canas que se había escapado de su moño—. Apa tiene razón. Te pareces mucho a él.

—¿De verdad? —pregunté, la dulzura de la miel bañándome por dentro.

—Sí, tienes sus pómulos —dijo, apartando el cabello de mi cara— y sus ojos, exactamente iguales. Tu papá era muy apuesto.

—¿Por qué mamá no habla de él?

—Solo quiere protegerte, mija.

—¿De qué?

—Del dolor, supongo. Siempre ha intentado evitar el dolor, desde que era pequeña.

Levanté las cejas, sorprendida.

—Cuando era pequeña, le gustaba correr hasta el río para ver a los pescadores —dijo—. Se escondía en los arbustos, esperando el momento preciso. Y, cuando ponían los pescados en las cestas, se acercaba sigilosa y se los robaba. —Nana se rio—. Después, corría río abajo y ¡los soltaba! Ay, cómo lloraba por los que no conseguía salvar.

—¿En serio? —dije entre risas—. No parece el tipo de cosas que ella haría.

—Bueno, a veces la gente cambia y se olvida de su esencia —dijo Nana.

—¿Esencia?

—Es lo que uno está destinado a ser. En mi caso, nací para ser curandera. Y tú seguirás tu propio camino. ¿Entiendes?

—Más o menos.

—Ahora, volvamos a tu buena pregunta. Tu mamá y tu papá se conocieron cuando tenían solo dieciséis años. Él era la estrella del equipo de béisbol de la escuela secundaria. Tu papá era capaz de hacer llegar una pelota hasta las estrellas.

Nana le untó mantequilla medio derretida a una tortilla y continuó.

—Se enamoraron enseguida, como muchos jóvenes, y se casaron durante su primer año de universidad.

Me metí el último trozo de tortilla en la boca y lamí las gotas de miel entre mis dedos.

—Poco después de casarse, quedó embarazada de ti.

Las palabras de Nana hacían eco en las paredes resecas por el sol y llenaban mis incógnitas, como si hubiera comido diez tortillas.

—El pueblo entero lo celebró. Todos esperaban tu llegada —dijo.

—¿De verdad?

—Claro. Ibas a ser hija y nieta de curanderas.

—¿Mi mamá es curandera?

—Es una curandera nata, pero ha elegido no practicar su don. Verás, a mí me enseñaron a ser curandera, pero a tu mamá ni siquiera le hizo falta aprender. Era capaz de salir a la luz de la luna con los ojos cerrados y coger una flor con poderes curativos. Solo necesitaba seguir su instinto. Era como magia.

Nana miró el reloj en la pared.

—Suficiente por hoy. Voy a llegar tarde a un juego de cartas con Apa y Tía. Recuerda, algunas historias tienen que ser contadas poco a poco para que podamos apreciar todo lo que llevan dentro.

—Pero, ¿qué quiere decir con "magia"?

—Significa que algo es cautivador y especial —dijo, poniendo la cesta en el mostrador de la cocina—. Que tú estés aquí es magia. Las alas de un colibrí, el zumbido de una abeja, que el sol salga cada día, pase lo que pase: todo es magia. —Una brisa cálida entró por la ventana, trayendo el aroma de las rosas que Nana cultivaba afuera—. Algunas veces, no puedes ver la magia. Simplemente la sientes.

Abrió grande los ojos y se volteó hacia mí.

—La vida es magia.

Las palabras de Nana se quedaron flotando en el aire y llegaron hasta mí en las crestas de la brisa. Entonces me acordé de las palabras que faltaban en la pelota de béisbol.

En cuanto Nana se fue, corrí hasta Estrella y tomé la pelota de la mesa de noche, acariciándola con cuidado.

—Porque la vida es magia —susurré—. ¿Es eso lo que escribiste, papá?

Las palabras cabían pero, por alguna razón, no me convencían. Tal como Nana lo describió, cualquier cosa podía ser magia. Eso me hizo pensar que las palabras que faltaban eran mucho más difíciles.

Hundiéndome en la silla, pensé en todo lo que Nana me había dicho acerca de mi papá. Sobre todo, que podía batear una pelota hasta las estrellas. Saqué una ficha y un bolígrafo.

Una noche de verano, un apuesto príncipe le preguntó a la chica que amaba cuál era la estrella que más le gustaba. Ella señaló la estrella más brillante del firmamento. Pero, a la noche siguiente, *la estrella desapareció y él emprendió un viaje en busca de la estrella favorita de su amada para recuperarla y...*

¿Cómo podría recuperar una estrella? Tendría que llegar hasta el cielo.

Dando golpecitos en la pelota con el bolígrafo, me pregunté cómo alguien podría llegar al cielo. ¿Desde la cima de una montaña? ¿En un avión? Acaricié con el dedo el espacio vacío entre las palabras *porque* y *magia*.

—Solo faltan dos o tres palabritas —susurré.

Las palabras que faltaban me recordaban a la señora Barney, quien me había dado las fichas. Me dijo que las historias están hechas de muchas piezas.

"Las letras son las piezas que se juntan para formar una palabra", me había explicado. "Las palabras forman frases y las frases, historias. Se hacen pieza a pieza. ¿Entiendes?".

Lo entendía más o menos, pero no estaba del todo segura. No quería que ella pensara que había perdido el tiempo conmigo. Asentí y susurré:

—Pieza a pieza.

10

EL CAMINO DEL FANTASMA

Al día siguiente, fui directo hacia la hamaca. Me columpiaba bajo los árboles, mientras lanzaba al aire la pelota de papá. Mis pies descalzos se hundían en la tierra suave.

—Hola, Izzy.

Me incorporé cuando vi a Mateo frente a mí.

—Hola —dije.

El silencio nos rodeó como la sombra de los árboles.

Mateo se apoyó en un bastón largo que traía.

—Me preguntaba si... quieres... —dijo, enterrando la punta del bastón—. Voy al camino del fantasma hoy.

—¿Camino del fantasma? —pregunté, incorporándome, contenta porque Mateo todavía me hablaba después de que lo dejara con la palabra en la boca.

—Es un lugar habitado por espíritus —dijo, enderezándose un poco más—. Si no estás ocupada, tal vez quieras venir conmigo.

—No estoy ocupada —respondí, tratando de actuar como si no pasara nada. No quería parecer cobarde y dejarlo plantado de nuevo.

—Entonces, ¿quieres venir? —en su voz se notaba la emoción.

—Claro... —dije, y me senté en el suelo para ponerme los tenis—. Oye, siento haberme comportado... No suelo...

—¿Haberte comportado cómo? —dijo, sentándose a mi lado.

Respiré aliviada y sonreí. Mateo me ayudó a ponerme de pie. Tomé la pelota de béisbol de la hamaca, antes de irnos por el camino zigzagueante. Pronto, el viento comenzó a vagar por el paisaje, como un aliento que acariciaba mi espalda dulcemente y silbaba en mis oídos.

—*Ven*...

Disminuí el paso y me volví hacia el viento con cuidado, pues no quería interrumpir su susurro. Pero, cuando creía que su eco venía del norte, cambiaba de dirección y fluía desde el sur. Me sentí tan frustrada que, de pronto, me detuve y grité:

—¿Dónde estás?

Mateo giró rápidamente, como si hubiera visto un fantasma.

—Perdona, es que acabo de... —dije.

—¡Acabas de darme un ataque al corazón!

Debió haber pensado que yo era la chica más rara del universo.

—No era mi intención. Es que me pareció haber oído algo. ¿No lo oíste?

—¿Oír qué?

Me metí un caramelo en la boca.

—¿Quieres uno? —pregunté.

—No, pero quiero saber lo que crees que oíste —dijo Mateo.

Ahora me sentía estúpida.

—Desde que llegué a casa de Nana —dije, acomodando el caramelo a un lado de la boca—, siento que el viento me susurra "Ven".

—Y, ¿por qué no lo sigues?

Mateo tenía el don de decir siempre lo más apropiado en cada momento.

—¿Cómo se sigue al viento? —pregunté, apartándome el flequillo de los ojos.

—Solo escucha para que puedas saber desde dónde sopla y hacia dónde va y puedas seguirlo —dijo, apoyado en su bastón—. Si, al final, no es nada, sabrás que estás loca. —Se rio y volvió a subir por el camino retorcido y sombreado—. Eres una chica fuera de serie, Izzy Roybal.

¿Eso era bueno o malo? Me tragué lo que quedaba del caramelo.

—Allí está —dijo, señalando con su bastón.

Un camino sinuoso, bordeado de árboles muertos, troncos retorcidos y ramas negras desordenadas, subía por una colina hasta desaparecer.

—Por allá hubo un incendio enorme hace como cien años —continuó—. Los árboles todavía no se han recuperado. Extraño, ¿verdad? Según la leyenda, un grupo de caballeros vino en busca de un tesoro. Aquí se les vio por última vez. Nunca encontraron sus cuerpos ni sus caballos. Vamos.

—¿De verdad? ¿No es peligroso subir? —pregunté.

—Yo nunca he ido más allá de la cima de la colina. Nadie que yo conozca lo ha hecho. Según la leyenda, si bajas al otro lado, los ojos se te queman dentro de la cabeza.

—Entonces, ¿por qué quieres ir? —pregunté.

—Tal vez me encuentre un fantasma que sepa dónde está el tesoro —dijo, encogiéndose de hombros y tomando el camino embrujado.

—Ve tú primero —dije, porque no tenía ninguna intención de tropezarme con un fantasma en un camino embrujado—. Cuando llegues, pega un grito para que yo lo sepa. Estaré vigilando este lado del camino.

—De acuerdo, iré solo —dijo Mateo riendo.

Cuando me quedé sola, el sol se asomó por entre las ramas de los árboles, proyectando largas sombras a mis pies.

Lancé la pelota al aire y la atrapé justo cuando una ligera brisa, suave como las manos de mamá o la voz de Nana, me alborotaba el cabello. Me volteé y sentí el aire caliente, que ahora me hacía cosquillas en las manos, apartándome del camino embrujado. Una tenue voz familiar flotaba entre los árboles.

—*Bella.*

Levanté una mano en el aire, tratando de agarrar el viento susurrante mientras recordaba las palabras de Nana: "Algunas veces, no puedes ver la magia. Simplemente la sientes".

Justo cuando sentía que la brisa me tomaba de la mano, Mateo bajó corriendo por el camino, gritando y sujetándose los ojos. La sangre corría por su cara.

—¡Aaahh! —grité cuando chocó conmigo y me tumbó. Mi codo izquierdo chocó contra la tierra; luego, escuché su risa.

El peso de Mateo me aplastaba. Traté de salir de debajo de

él, pero nuestros cuerpos se enredaron y su cara quedó a pocos centímetros de la mía. Sus ojos oscuros bailaban divertidos.

—¡No te puedo creer! Pensé que estabas herido de verdad. Y me interrumpiste justo cuando iba a seguir al viento.

Todavía riendo, Mateo levantó una mano para pedir disculpas. Lo empujé y me levanté. Yo también me reí un poco, no porque encontrara chistosa su broma estúpida, sino porque su cara parecía un desastre con tanta pintura roja en las mejillas.

—No es gracioso —dije.

—Anda, ¿dónde está tu sentido del humor?

Me volví y eché a andar hacia la casa de Nana, recogiendo mi pelota por el camino. Mateo intentaba caminar a mi lado. Pero, en cuanto me alcanzaba, yo aceleraba el paso.

—Ay, Izzy. Fue una broma. Te pedí disculpas —dijo, agarrándome por el codo—. ¿Podrías ir más despacio?

—¿Para qué?

—Para que pueda hablar contigo y verte la cara. No sé si bromeas o no.

Me detuve y lo miré con furia.

—De acuerdo, ya veo que no bromeas. ¿Me regalas, aunque sea, un gesto de perdón? —dijo y juntó las manos frente a su cara, como si me lo suplicara.

Me crucé de brazos, todavía enojada.

—Sentí el viento, pero en eso llegaste y, ahora...

—Te pido disculpas otra vez.

Era inútil tratar de esconder mi sonrisa. Me reí y asentí con la cabeza.

—Te perdono, con una condición.

—¿Cuál? Cualquier cosa.

—No te lo puedo decir ahora. Voy a guardarlo como una moneda de la suerte. Cuando necesite un favor tuyo, tienes que prometerme que harás lo que te pida.

—Bueno —murmuró—. Siento haberte hecho perder el viento.

—Está bien. Me aseguraré de seguirlo más rápido la próxima vez.

—Puedes salir a buscarlo.

—¿Cómo? —pregunté.

Sonrió y me rodeó el hombro con su brazo.

—Donde sopla más fuerte —y señaló hacia el cielo.

EL GLOBO EN LA IGLESIA

La tarde siguiente fue excepcionalmente fresca. Me acosté en la hamaca y contemplé el resplandor rosado que envolvía las copas de los árboles a lo lejos. Intenté escuchar el viento, pero el aire estaba manso y silencioso.

La historia que me contó Nana acerca de mis papás me había conmovido. Saber de mi papá, por poco que fuera, que jugaba béisbol y quería a mamá, me hizo sentir unida a él.

Al otro lado del patio, el señor Castillo empujó la puerta lentamente.

—Izzy, no esperaba encontrarte aquí —me dijo, inclinando su sombrero—. Espero no haberte asustado.

—No —dije—. Solo estaba pensando.

Apagó el interruptor que estaba al lado de las puertas francesas.

—Vine a echarle un vistazo a la bomba de la fuente. Tu nana dice que no funciona —dijo, desmontando la parte de arriba de la fuente y metiendo el brazo—. ¿Lo estás pasando bien este verano?

—Sí, es muy diferente a California.

El señor Castillo era no solo la persona más feliz, sino también la más sencilla que había conocido. Era grato estar cerca de él. Sentí un poco de envidia de Mateo, por tenerlo como padre.

El señor Castillo sacó una cajita negra de la fuente y la levantó para examinarla. Sus ojos brillaban como piedras negras pulidas.

—Oh, sí. El pueblo es diferente a cualquier otro lugar de la Tierra, creo yo. El cielo es perfecto, el viento es perfecto.

El recuerdo de nuestro primer encuentro, en la camioneta, pasó por mi mente como un relámpago. "La gente viene de todas partes para montar en globo", me había dicho.

El viento es más fuerte en las alturas, me había dicho Mateo. Salté de la silla.

—¿Recuerda cuando me dijo que el pueblo tiene un globo aerostático?

Asintió.

—¿Cree que podríamos encontrarlo? —insistí.

Se rio mientras revisaba la cajita negra.

—¿Sabes? El día que te conocí, me puse a pensar cuánto tiempo hacía que yo mismo no paseaba por el cielo. Al final, recordé dónde está el globo —dijo, y volvió a meter la cajita negra dentro de la fuente—. Creo que está en la vieja capilla detrás de la iglesia.

—¿Puedo verlo? —dije, emocionada.

El señor Castillo activó el interruptor al lado de las puertas francesas y el agua de la fuente fluyó desde lo alto, salpicando.

—Solo necesitaba un poco de limpieza —dijo el señor Castillo, sonriendo—. ¿Quieres ir ahora?

—Sí —dije con entusiasmo.

—Debemos ir antes de que se ponga el sol. Allí no hay electricidad.

Salí corriendo detrás de él.

El señor Castillo estacionó la camioneta detrás de la iglesia y caminamos hacia la capilla, bajando por una colina rocosa.

—Esta era la iglesia del pueblo antes de que construyeran la nueva. Debe tener unos cien años.

Era una versión más pequeña de la iglesia de adobe y

estaba rodeada de matorrales. Largas fisuras recorrían sus paredes, como grietas en la tierra que el sol seca después de la lluvia. Unos gajos de paja sobresalían de los ladrillos de adobe.

—No tuvimos el valor de derribarla y la usamos de almacén.

El señor Castillo empujó la puerta desvencijada, que apenas se mantenía en sus bisagras, y entramos. El aire era denso y húmedo. Sorteamos montones de cajas, juguetes polvorientos, sillas rotas e, incluso, la vieja caseta de un perro. Cada cosa o caja tenía el nombre de una familia: Sánchez, García, Solís... En la parte de atrás, había un montón alto con más cajas. Seguimos los rayos de luz que se filtraban por el vitral de colores, bañando el ambiente oscuro con una luz rosada.

—Aquí está —dijo el señor Castillo, como quien se encuentra con un viejo amigo.

El polvo giraba dentro de un rayo de sol que iluminaba una vieja cesta, casi del alto de mis hombros. Acaricié la compleja trama del tejido con los dedos. Una varita de mimbre marrón oscuro sobresalía por uno de los lados.

—Ya está. Voy a volar por los cielos para hablar con el viento —susurré, mientras colocaba el mimbre en su lugar.

—¿Quieres meterte dentro? —preguntó el señor Castillo.

Asentí, ansiosa. El señor Castillo me cargó y me colocó en la cesta.

—Aquí hay algunas cosas —dije, agachándome para recoger una chaqueta, un par de zapatos viejos y una camisa blanca—. ¿Qué es esto? —pregunté mientras miraba la camisa a contraluz.

—No sabía que todavía quedaban cosas ahí —dijo el señor Castillo, retrocediendo.

Miré la camisa que tenía en las manos y leí el nombre "Reed" bordado en la parte de atrás.

—¿Era de mi papá?

—Sí —asintió el señor Castillo—. Solíamos volar juntos.

—¿Todo esto era de mi papá? —dije, volteando la camisa, que en la parte delantera decía, en letras negras silueteadas en amarillo, "Piratas".

—Jugaba en las ligas profesionales —dijo el señor Castillo en voz baja.

Apreté la camisa contra mi cuerpo.

—¿Papá era jugador de béisbol profesional? —dije, casi en un susurro—. ¿Era famoso?

—Era una estrella en ascenso. Tenías que haber visto cómo bateaba la pelota por el jardín central. —El señor Castillo blandió un bate de béisbol imaginario, mientras miraba el vitral.

Sacudí el polvo de la camisa y me la acerqué a la cara, aspirando su aroma.

—Fue muy duro para todos cuando se ahogó en el río —dijo, todavía mirando la vidriera—. Pero salvó a tu mamá. Ojalá yo hubiera estado allí ese día...

—¿Se ahogó? ¿Para salvar a mamá? —dije, saliendo de la cesta de un salto y derribando una pila de cajas a mi alrededor.

El señor Castillo me miró de pronto y se frotó la nuca. Sus ojos negros almendrados se hundían con tristeza.

—¿No lo...? Pensé que... Lo siento. Tienes que hablar con tu nana.

Las lágrimas temblaban dentro de mis ojos y me hacían ver todo borroso. Estaba cansada de que nadie me contara toda la verdad. Salí corriendo de la iglesia hacia la penumbra del anochecer.

—¡Izzy, espera! Te llevo a casa —me llamó el señor Castillo.

Ya era casi de noche, pero me daba igual. Mis pies golpeaban la tierra como martillazos. Pasé la iglesia, atravesé la plaza y bajé por las colinas detrás de las casas de adobe.

¿Por qué mamá no me había dicho la verdad?

Ese pensamiento daba vueltas en mi cabeza durante todo el camino de regreso a casa. Apreté la camisa de mi papá con fuerza cuando atravesé la rosaleda. Al llegar, sin aliento, abrí de golpe la puerta trasera y llamé a voces a Nana.

La encontré en el salón, doblando toallas.

—¿Por qué no me lo dijo? ¿Se ahogó? ¿Para salvar a mamá?

Nana se levantó. Una mirada de aceptación atravesó su cara. ¿Sabría que yo iba a encontrar sus cosas? ¿Estaría esperando que yo descubriera las piezas que faltaban?

—Por favor, Izzy. Siéntate conmigo.

No me moví.

—Por favor —insistió.

Me indicó que me sentara en el sofá. Me senté a su lado, con la camisa de papá en mi regazo.

—Tenía solo veinte años cuando los Piratas de Pittsburgh lo contrataron —dijo, pasando el dedo por el dobladillo de la camisa—. Solo llevaba dos años en la universidad.

Mil fuegos artificiales explotaron en mi cabeza. Los ojos de Nana recorrían la habitación, como buscando las palabras adecuadas. Después, se volvió hacia mí y habló lentamente.

—Déjame empezar por el principio —dijo, posando su mano encima de la mía—. A tu papá le encantaba nuestra cultura y mi cocina. Aprendió español y quería construir una casa aquí en el pueblo. Tu mamá se enfadó muchísimo cuando los médicos le dijeron que no podía mudarse con él a Pittsburgh cuando lo contrataron. Pero él iba y venía y decía que este era el mejor lugar de la Tierra para vivir.

—¿Por qué no se pudo mudar? —pregunté, soltando la mano de Nana.

—Tuvo algunas complicaciones durante el embarazo y su médico le dijo que se quedara en Albuquerque.

—¿Mamá se quedó aquí en el pueblo mientras él estaba fuera?

—Bueno, ella no quería. Pero se quedó porque tu papá quería que estuviera cerca de mí y del médico, por si acaso.

De pronto, me di cuenta de que si papá había salvado a mamá, eso significaba que ella ya estaba embarazada. Es decir, me había salvado a mí también. Apreté la camisa con más fuerza.

—¿Y qué pasó?

—Pues tú fuiste una bebé inquieta, incluso en el vientre de tu mamá, y eso le preocupaba.

Nana echó un vistazo a la vela encendida en el altar de la Virgen María, al otro lado de la habitación. El aroma de arándanos llenaba el aire.

—Tu mamá había encontrado un doctor en Albuquerque que se especializaba en ese tipo de cosas.

Los ojos de Nana se posaron en el torrente de luz de luna que bañaba el piso de azulejos de Saltillo, como si todavía pudiera ver el pasado que describía.

—Siga.

—Tus papás habían ido de picnic al río Bravo. Era un día primaveral más caluroso de lo habitual. El viento era tan fuerte que podía tumbar a los ángeles de las nubes. —Respiró profundo—. Tu mamá se metió en el agua. Solo quería refrescarse los pies, pero parece que perdió el equilibrio y se cayó y la fuerza del agua la arrastró. Enseguida, tu papá se lanzó al agua para salvarla. El río estaba muy crecido ese año, como ahora. —Sacudió la cabeza—. Tu papá empujó a tu mamá hacia un tronco en el río, para que se agarrara, y cuando ella se volteó para buscarlo no lo encontró. Su pierna se había quedado atrapada entre dos rocas. —Nana se secó una lágrima—. Tu mamá tenía ocho meses de embarazo.

Mi cabeza empezó a dar vueltas y me sentí mareada.

—Lo siento —dijo, tocándome la mejilla, como el viento—. Es demasiado para escuchar todo de golpe.

Me puse la camisa de papá y me abracé a mí misma. Olía a tierra fresca después de una lluvia de verano. La acaricié, alisando sus viejas arrugas.

—No pare de contar.

—Cuando sacaron a tu mamá del agua, se le presentó el parto a causa del trauma. Por suerte, había gente cerca. Así fue como naciste tú, mija.

—¿Nací a la orilla del río?

—Sí. Todo fue tan rápido que no hubo tiempo de llevar a tu mamá al hospital —dijo, tomándome una mano entre las suyas—. Pero tú, tú fuiste el milagro, Izzy. Naciste antes de tiempo, pero eras fuerte.

—Mamá me dijo que él había muerto antes de que yo naciera —dije con voz temblorosa.

—Tu mamá pensaba que era mala suerte que ocurriera un nacimiento y una muerte el mismo día. Solo quería protegerte.

En mi mente, imaginé un calendario y marqué el día de mi cumpleaños con una X. Ya entendía por qué mamá siempre parecía estar tan triste cuando yo cumplía años.

—Es culpa mía —dije—. Él murió para salvarme a mí. Tal vez yo no debí haber nacido.

—¡No! —Nana me apretó la mano—. Cuando nos llega el momento de irnos, tenemos que irnos y nadie lo puede impedir. Y, cuando es el momento de nacer, venimos a esta Tierra. No pienses nunca que fue culpa tuya. —Me levantó la barbilla para mirarme a los ojos—. ¿Me oyes? No fuimos creados para comprender los caminos del Señor, pero tenemos que confiar en que todo pasa por algo.

—¿Por qué mamá no me puso el apellido de papá?

Nana enderezó la pila de toallas que había en la mesita del salón.

—Eres tan Reed como Roybal. Tu mamá volvió a usar su apellido de soltera... para empezar de nuevo, supongo.

Hizo una pausa y, justo cuando iba a seguir hablando, sonó el teléfono. Nana se acercó al borde del sofá y se puso de pie.

—No conteste. Quiero oír el resto de la historia.

—Podría ser algo importante.

—Por favor, Nana.

Nos miramos durante un tiempo que pareció una eternidad, esperando que el maldito teléfono dejara de sonar. Me di cuenta de que iba a ser más rápido contestarlo que esperar a que se callara. Salté del sofá con impaciencia y corrí hacia el teléfono. La camisa de papá me llegaba casi a las rodillas.

—Diga.

—¿Izzy?

—¿Mamá?

—He llamado un montón de veces, pero no conseguía comunicarme. ¿Cómo estás? ¿Qué tal el pueblo? —dijo, suspirando hondo—. Tengo tantas cosas que contarte. Es...

La distancia entre nosotras se llenó de interferencias.

—Izzy, ¿me oyes? —Su voz se quebraba.

—¿Mamá? Espera —dije, cambiando de oído el auricular—. ¿Por qué no me contaste la historia de papá?

—¿Papá? —dijo, y añadió algo incomprensible—. ¿Me oíste?

—No. Se te corta la voz —dije, golpeando el teléfono con los dedos antes de volver a ponerlo en mi oído—. Mamá, necesito hablar contigo.

Solo hubo tres segundos de recepción clara, el tiempo suficiente para que mamá dijera "Te quiero".

Antes de que pudiera decir una palabra más, se cortó la comunicación.

12

EL INGREDIENTE
SECRETO

—Izzy, despiértate —susurró Nana la noche siguiente.

—¿Qué hora es? —dije, frotándome los ojos.

—Es medianoche. No tenemos tiempo que perder. Vístete, de prisa.

Me puse lo primero que encontré, medio atontada, y salí de la casa detrás de ella.

—¿Adónde vamos?

—A la meseta cerca del río. Esta noche vamos a recoger hierbas. Anda, vamos.

El aire fresco de la noche me despertó. La linterna iluminaba el camino. Seguí a Nana de cerca, por la senda hacia el otro lado del río.

En la orilla, la corriente se precipitaba en un mar de blanco que reflejaba la luz de la luna. A cada paso, pensaba en mi papá. ¿Sería doloroso ahogarse? ¿Habrá sentido mucho miedo?

Nana y yo cruzamos el puente movedizo, apenas sostenido por tablones de madera y cuerdas.

—Fíjate dónde pisas —dijo, agarrándome la mano—. Este puente es tan viejo y se mueve tanto que a veces pienso que me va a tirar al agua.

Llegamos a la cima de un risco que daba a un valle. A la luz de la luna, la vida más allá del río lucía inmóvil. Tanta quietud me llamó la atención.

—¿Por qué vamos a recoger hierbas ahora?

—Porque este es el momento adecuado. Existen ciclos que debo respetar, como el ciclo lunar.

Anduvimos por el borde del risco y, aunque no entendía del todo lo que estábamos haciendo, me sentí parte de algo, como cuando eres la primera en ser elegida para integrar un equipo en la escuela. La cabeza de Nana se movía de un lado para otro examinando el suelo. Se agachó y cogió varios puñados de tierra, tamizándola con los dedos.

—Ah, sí, aquí está —dijo, y se arrodilló—. Ven a verla de cerca.

Me agaché junto a ella y acerqué la cara a la tierra.

—No veo nada.

—Aquí. Apunta la linterna hacia acá. —Señaló una plantita de tres hojas que apenas salía de la tierra—. ¿La ves?

—¿Por qué estamos susurrando?

—No queremos despertar a todo el pueblo, mija.

—Aquí arriba no nos oye nadie.

—Oh, sí. —Levantó la ceja izquierda—. Los sonidos de este valle se oyen a millas de aquí. Desde nuestra casa puedo escuchar hasta el canto del pájaro más pequeño.

Señaló la planta otra vez.

—Esta es una planta medicinal muy poderosa —dijo—. Es más potente por la noche y solo se puede sacar de la tierra a la luz de la luna. Si se sacara mañana, no tendría el mismo efecto. Elegir el momento oportuno es lo más importante.

Sacó una bolsita de terciopelo que llevaba a la cintura y jaló la planta con delicadeza.

—Cuando sacas la hierba de su hogar, tienes que dejar siempre una parte de la raíz adentro, para que pueda sanar y crecer de nuevo.

La luz de la luna proyectó una suave sombra sobre la mitad del rostro liso de Nana y, por un momento, pude hacerme una idea de cómo habría lucido cuando era joven.

-—¿Qué hace? —pregunté.

—Esta hierba es muy especial porque solo se puede recoger una vez cada doce meses. —Sonrió—. Pero una porción pequeña rinde mucho. Es uno de los ingredientes que le pongo a mis tortillas. Mi nana compartió ese secreto conmigo.

Más allá del pueblo, las luces de Albuquerque parpadeaban como mil estrellitas centelleantes. Un aullido distante llegó volando en el borde de una brisa que, en cuestión de segundos, se volvió un ventarrón. El viento dio vueltas alrededor de nosotras, aflojó el moño de Nana y, luego, descendió sobre el pueblo, planeando como un fantasma.

13

Algunos hilos son más cortos que otros

A la mañana siguiente, Nana estaba en la terraza del fondo, sacudiendo una alfombra, mientras yo regaba las flores en las macetas. Justo cuando cerré la manguera, Frida corrió hacia mí por el césped, maullando ruidosamente. Daba vueltas alrededor de mis piernas y gemía cuando me agachaba para rascarle la barbilla.

—¿Qué pasa, chica? ¿Dónde está Maggie?

Sin decir una palabra, Nana recogió su falda y empezó a correr por el césped. La seguí colina abajo. No me hizo falta preguntar adónde íbamos.

Cuando llegamos a la casita de adobe de Apa, la encontramos tumbada en el piso de azulejos. Estaba muy quieta.

Maggie estaba sentada sobre una vieja alfombra, a su lado, acariciándole el cabello y susurrando:

—Estoy aquí, Apa.

—¿Qué pasó? —preguntó Nana acercándose.

—Apa parecía cansada. Quizás por eso tropezó con la mesita del salón. —Maggie se enjugó las lágrimas que rodaban por sus mejillas rosadas—. Sabía que vendrían.

—Estoy bien. Solo necesito ayuda para levantarme —dijo Apa.

Metí la mano debajo del brazo izquierdo de Apa, mientras Nana la levantaba por el brazo derecho.

—Cuidado, Izzy. Tenemos que ir despacio. ¿Te duele, Apa? Dinos si te duele.

—No, no —Apa negó con la cabeza—. Solo llévenme al sofá para descansar.

—Bájala con cuidado —dijo Nana.

—¿Necesita una almohada o algo? —pregunté.

—No, querida. Así estoy bien.

En el lado izquierdo de la cara delgada, Apa tenía una herida y el ojo comenzaba a hincharse como si fuera un globo lleno de agua. Aparté la cara para no ver la sangre y vi a Maggie sentada en el piso.

—Oye, Maggie —dije, arrodillándome—, creo que va a estar bien.

En cuanto pronuncié esas palabras, deseé no haberlas dicho. ¿Qué pasaría si no era cierto?

—La última vez, me quedé con tu nana durante cuatro días —dijo Maggie levantando cuatro dedos.

—¿La última vez?

Asintió.

—Apa ha necesitado ayuda otras veces.

Después de dejar a Apa en el sofá con un paño húmedo en los ojos, Nana me acompañó hasta el porche. Las lágrimas se acumulaban en sus ojos.

—¿Va a ponerse bien? —pregunté, esperando no haberle mentido a Maggie.

A pesar de las lágrimas, la voz de Nana se mantuvo firme y tranquila.

—Necesito que cuides de Maggie mientras voy con Apa.

—¿Adónde?

—Al hospital, otra vez. Necesita a su médico.

—¿Cómo? —dije, confundida—. ¿Usted no la puede ayudar?

—Necesita más que lo que yo puedo darle —dijo Nana, moviendo la cabeza—. Luego te explico. Ahora, llévate a Maggie y a Frida a casa.

—Ya nos vamos.

—Bien. Prepárale una merienda y trata de distraerla. Te llamaré en una hora más o menos.

Cuando me volteé para buscar a Maggie, Nana me agarró el brazo.

—Por favor, enciende las velas de Santa Ana y de la Virgen María cuando llegues a casa.

Nana había dicho una hora, pero la hora se volvió tan grande y redonda que pensé que explotaría. Los segundos duraban casi el mismo tiempo que tarda la Tierra en girar alrededor del Sol. Afuera, los árboles se torcían obedeciendo las órdenes del viento. Quería que me llevara volando a Costa Rica, o a cualquier otro lugar donde la muerte y la enfermedad no pudieran escalar las paredes y entrar.

—¿Jugamos a algo? —preguntó Maggie, acariciando con suavidad a Frida, que estaba en su regazo.

—¿Sabes jugar "Ve a pescar"? —pregunté.

—Sí, y sé dónde están las cartas —dijo y puso a Frida en el suelo para correr hacia la cocina.

Volvió con un juego de barajas con pequeñas caras de querubines en el dorso.

Nos sentamos en el piso, alrededor de la mesita del salón. Maggie esparció las cartas en la mesa y luego las ordenó en una pila.

—Oye, Maggie, ¿por qué la llamas Apa?

—Cuando era muy pequeña, no podía pronunciar la palabra "abuela", así que junté abuela con su nombre, Paulina, y así inventé "Apa". Suena mejor, ¿no crees?

—Sí —asentí—. Tú repartes.

Maggie se concentró en repartir las cartas una por una. Sus hombros caídos y sus brazos flacos como dos espaguetis la hacían parecer pequeña y vacía, como si no tuviera nada adentro que la sujetara.

Observé su carita. Tenía un pequeño lunar marrón en la mejilla izquierda.

—¿Es de nacimiento? —dije, señalándolo.

—Sí —dijo, tocándose la mejilla—. Apa dice que es el lugar donde me besó Jesús cuando salí del cielo.

—Yo también tengo uno —dije, y le mostré la pequeña marca blanca que tenía en el labio inferior desde que nací—. ¿La ves?

—Jesús te quiere más a ti —dijo, frunciendo el ceño.

—¿Por qué dices eso?

—Porque te besó en los labios.

Me froté el labio inferior, preguntándome si era cierto que Jesús tenía favoritos. Si los tenía, no me parecía que yo fuera una.

Maggie ganó ocho partidas de cartas antes de aburrirse y tumbarse en el sofá.

—¿Me cuentas un cuento?

—No me sé ninguno bueno —dije, aunque quería inventar un cuento para Maggie, para que se sintiera mejor, más segura. Pero no se me ocurría nada.

Maggie apoyó la cabeza en un cojín y sus rizos dorados le rodearon la cara. Se hizo un ovillo, con los brazos alrededor de Frida, y pronto se quedó dormida. Su cara pálida parecía fantasmal a la luz gris de la tarde.

Me paré delante de la ventana trasera, mirando cómo los álamos se movían al ritmo del viento. Unas nubes de color gris acero cubrían el cielo y el olor a lluvia y tierra llegaba hasta la casa.

Cuando Nana llegó, sus hombros estaban caídos y parecía más bajita de lo que en realidad era. Al ver su cara tan frágil y larga, el corazón se me torció como las raíces de las hierbas que se hunden en la tierra.

—¿Cómo está Apa, Nana? —susurré mientras pasábamos por delante de Maggie.

Nana me llevó afuera y nos sentamos debajo del porche largo. El silencio llenó el espacio entre nosotras. Hasta las cigarras estaban en silencio, guardando su canción para días más soleados.

Nana miró hacia el otro lado del patio, como si las palabras que le hacían falta estuvieran en el borde de la tormenta que se avecinaba, lo suficientemente cerca para saborearlas, pero demasiado lejos para tocarlas.

—Cada uno de nosotros llega a esta vida con solo un hilo de tiempo para realizar su esencia. Algunos hilos son más cortos que otros —dijo—. Como el de tu padre. Su hilo era corto y su viaje se interrumpió. El de Apa ha sido largo y llegó su hora de dejar este mundo. —Nana me acarició la pierna—. Ahora tenemos que ayudar a Maggie, para que su viaje esté lleno de alegría. No tiene a nadie más que a nosotras.

—No entiendo. ¿No se puede curar con hierbas?

—Apa lleva mucho tiempo enferma, mija. Sabíamos que este día llegaría. Tiene una enfermedad en el cerebro que no tiene cura y, a veces, le falla la vista y se cae, como hoy. Ha ido empeorando. —Las lágrimas corrían por su rostro cansado—. Tienes que entender, mija, que cuando llega la hora de irse no hay nada que hacer. Hasta la estrella más brillante del universo se apagará algún día.

—¿Cuánto tiempo le queda?

—Estoy rezando para que Maggie pueda decirle adiós. Mañana la llevaré. Y a ti también, si quieres.

Nos quedamos sentadas, tomadas de la mano, en las viejas sillas de cuero que, pocas semanas antes, habían visto la alegría y las risas de una celebración de cumpleaños. Casi pude escuchar los ecos de ese recuerdo en las crestas de la brisa pero, momentos después, la lluvia los apagó.

14

La hermana mayor

Al día siguiente, por la mañana, Nana iba en silencio en el asiento del copiloto mientras el señor Castillo seguía la larga línea de autos en la carretera. Maggie, recostada contra la ventanilla, miraba absorta el denso tráfico.

La ciudad de Albuquerque se cernía alrededor. No había viento susurrante ni capullo protector, solo asfalto negro y edificios de hormigón. Los edificios y puentes no tenían raíces. Estaban colocados sobre la superficie de la Tierra, como inquilinos temporales del desierto.

Le daba vueltas a la pelota de béisbol en la mano, observando las palabras que tenía escritas. Al sol de la tarde, la tinta parecía aún más brillante cuando pasé el dedo por los dos picos de la letra "M".

De pronto, la calle M parecía estar a un millón de kilómetros de distancia. En ese momento, supe que ese nunca sería mi hogar.

Al llegar al hospital, el olor a cosas malas se me metió por la nariz. Me pregunté cuánto tiempo tendríamos que quedarnos allí.

Apa estaba tan quieta que pensé que habíamos llegado demasiado tarde. Maggie se acostó en la cama y puso su cabeza en el pecho de Apa. Nunca había visto morir a nadie y no tenía ganas de hacerlo ahora. Nana me siguió hasta el pasillo.

—No es justo —dije, sacudiendo la cabeza—. ¿Cómo puede suceder esto, y en un hospital?

—¿A qué te refieres? —preguntó Nana.

—Apa debería morir en el pueblo. Aquí está muy sola y todo es blanco. No hay color.

Nana me abrazó y yo quería soltar las lágrimas calientes y punzantes que se acumulaban dentro de mí, pero se negaron a salir.

—Tienes razón, mija. Tenemos que llevarla a casa.

❧

El olor a muerte invadió en silencio cada grieta de la casa de Apa. A lo lejos, ladraba un perro y las orejas de Frida se pararon. Después me hizo un guiño con sus ojos verdes y brillantes y se acostó en mi regazo. El mundo se volvió silencio una vez más, roto apenas por el tictac del reloj de la pared. Estaba tirada en el piso, frente al dormitorio de Apa, y hacía rodar mi pelota con la palma de la mano. Una brisa fresca entró por una ventana abierta y se quedó a mi lado.

La barriga de Frida subía y bajaba lentamente. Al poco rato, Frida se quedó dormida. Pronto, mi respiración imitó la suya y mi cuerpo se quedó quieto y silencioso. Me sentía ligera, como si flotara en el viento constante mientras Nana y Maggie rezaban por Apa. Quería darle las gracias por el trozo de felicidad que me había regalado cuando me habló de papá, pero no quería verla morir.

Apa murió un sábado. Vivió una noche y un día más de lo que Nana había pedido en sus rezos. Maggie se quedó con ella hasta el final, acariciándole el cabello y haciéndole cosquillas en la cara con sus hebras de lana.

El lunes, cuando nos sentamos a almorzar, bajamos las cabezas y rezamos.

—Señor nuestro, gracias por... —comenzó Nana.

—A mí no me gusta Dios. Es malo. Se lleva a todo el mundo —dijo Maggie, resbalando de la silla y cayendo al suelo, sollozando.

Me sentí impotente. Nana se arrodilló, la tomó en brazos y la meció mientras le cantaba:

Sana, sana, colita de rana.

Si no sanas hoy, sanarás mañana.

Acariciaba el cabello de Maggie y sus lágrimas caían sobre los rizos dorados de la niña. Repitió la misma canción una y otra vez hasta que Maggie se quedó dormida.

Ayudé a Nana a llevarla hasta su dormitorio.

—Siento mucho lo de Apa, Nana.

Nana me tomó del brazo y echamos a andar por el pasillo.

—La muerte barre la tierra, pero no tiene ningún poder en el cielo. En el cielo, conoceremos de verdad a los que queremos. Solo se ha ido por un breve instante. Recuérdalo.

No entendí lo que quería decir. A mí me parecía que mi papá se había ido por un tiempo mucho más largo que un breve instante. La tristeza invadió mis huesos y me pregunté si el color volvería alguna vez a esa casa.

Dos días más tarde, todo el pueblo se reunió para celebrar la vida de Apa. No había querido que la enterraran y lanzamos sus cenizas al río Bravo. En la orilla, mientras el torrente de agua golpeaba mis oídos y el sol ardiente quemaba mis brazos desnudos, pensé mucho en mi papá. Ese día, no escuché el susurro del viento. Al contrario, el aire era denso y caliente.

Después de la ceremonia del río, pasé bandejas de tamales, chiles rellenos, tacos y pan dulce entre las mesas donde se congregaron todos los amigos que fueron a casa de Nana.

—Fue un servicio precioso, Izzy. ¿No crees? —preguntó Tía mientras agarraba el último trozo de pan dulce.

—Sí.

—Me recordó el funeral de tu papá. Es hermoso celebrar una vida buena.

Pero a mí no me parecía hermoso, sino vacío.

Luego de las celebraciones, encontré a Nana encaramada en una escalera de mano, colocando una tira de papel crepé negro en el dintel de la puerta principal.

—¿Qué hace? —pregunté.

—Es una vieja tradición. El luto terminará cuando el sol, el viento o la lluvia se lleven este papel.

Miramos durante un rato la tira negra.

—¿También lo hizo para mi papá?

—Sí. —Nana señaló el papel negro—. Lo hago porque mi mamá lo hacía pero, al igual que el papel, esta tradición algún día desaparecerá. Hubo un tiempo en que las mujeres hacían luto después que moría un familiar y no podían ni siquiera ser vistas en público, salvo en la iglesia.

—Me alegro de que esa tradición haya desaparecido. ¿Es posible extrañar a alguien a quien nunca conociste? ¿Se puede realmente volver a ser feliz después de que esa persona ha muerto?

Nana bajó de la escalera y me abrazó con fuerza.

—Siempre sentirás su ausencia pero, aún así, puedes encontrar la felicidad. Como ahora. Estamos tristes, pero no por eso vamos a dejar de sonreír o impedir que la vida vuelva a la normalidad. —Cerró la escalera y la apoyó contra la pared—. No debes sentirte mal por los momentos de felicidad. Apa querría que estuviéramos felices. Y tu papá también.

Desenrolló la manguera y regó el jardín de la entrada. El rocío creó un tenue arcoíris.

—Debemos encontrar el camino de vuelta a la felicidad, poco a poco. Algunos lo encuentran antes que otros.

Me pregunté cuánto tardaría Maggie en encontrar ese camino.

—¿Y qué pasará con Maggie? —pregunté.

—Apa me pidió que la criara. Hizo los trámites legales hace meses. Ahora somos su única familia —dijo Nana, mirándome a los ojos y sonriendo con dulzura—. Serás como su hermana durante el resto del verano.

Me mordí el labio inferior. ¿Su hermana? ¿Una hermana no era una amiga para toda la vida? ¿Cómo podía serlo apenas por un verano? Pellizqué el pequeño pétalo de un geranio que había en una maceta cercana y acaricié su superficie lisa y aterciopelada entre el pulgar y el índice, teniendo cuidado de no romperlo. No estaba segura de si quería ser la hermana mayor de alguien. Pero, aunque Apa ya no estaba en este mundo, aún guardaba en mi corazón, como un tesoro, el pedazo de felicidad que me había regalado aquel primer día. Le debía a Apa ser la mejor hermana posible para Maggie.

15

$9.50 POR DEBAJO DEL PRESUPUESTO

Cada nuevo día alejaba de nuestras vidas los restos de tristeza y traía de vuelta pequeños pedazos de alegría. Maggie era la que mejor parecía absorber esa alegría. Tal vez fueron las tortillas de Nana, o quizá era demasiado joven para estar triste mucho tiempo. Yo creo que, sobre todo, fueron las historias que Nana le susurraba antes de dormir.

Un viernes por la noche, Maggie estaba tumbada en mi cama. Había aprendido que ser una buena hermana mayor significaba compartir mi habitación. Maggie descansaba su cabeza en el regazo de Nana y trazaba círculos en el aire con sus hilos de lana para que Frida jugara.

—¿Tiene alguna historia nueva acerca de Apa? —le preguntó a Nana.

Yo estaba sentada en mi escritorio, haciendo garabatos en una ficha, sin saber qué escribir.

Nana acariciaba lentamente el cabello de Maggie.

—Sí. ¿Qué tipo de historia te gustaría oír?

—¿Qué tal una historia con Apa y el papá de Izzy? —dijo Maggie—. ¿Conoce alguna historia así?

Dejé el bolígrafo en el escritorio y esperé. Nunca me cansaba de escuchar los recuerdos de Nana.

—Bueno, pues —comenzó a decir Nana entrelazando sus pequeñas manos—, un verano, Apa quería cambiar los azulejos del piso de su casa, pero no podía hacerlo sola. Ese año no tenía mucho dinero. Le pidió un presupuesto a algunos soladores pero, cada vez que recibía uno, se desesperaba y decía: "¿Puedes creer la cantidad de dinero que quiere esta gente? ¿Pensarán que soy la reina de Inglaterra?". Una noche, fui a cenar a casa de Apa con los papás de Izzy y la encontramos, de rodillas, con un cincel y un martillo, rompiendo el suelo en mil pedazos.

Sonreí al recordar a mi mamá rompiendo el mostrador de la cocina de casa. Tal vez Apa le había dado la idea.

—Fuimos a cenar —continuó Nana— y nos pasamos la noche quitando los azulejos viejos hasta que no quedó más remedio que arreglar el desastre que habíamos hecho. —Nana puso la cabeza de Maggie sobre la almohada y le levantó la barbilla para mirarla a los ojos—. Así era el espíritu de Apa. Siempre encontraba la manera. Esa misma semana, ella y el papá de Izzy se dedicaron a buscar sobrantes de azulejos en las tiendas de materiales de construcción de todo Albuquerque. Le dijo que, si la ayudaba a mantenerse por debajo de su presupuesto, le pagaría todo el dinero que sobrara.

—¿No quería que todo el suelo quedara igual? —pregunté.

—No —dijo Nana—, no quería perfección, solo comodidad. Después de una semana, más o menos, el papá de Izzy había encontrado algunos azulejos rebajados. Estaban un poco dañados, pero a Apa no le importó. Dijo que harían de su casa un lugar especial.

—¿Él consiguió todos los azulejos por debajo del presupuesto? —pregunté.

—No, pero nunca le dijo a Apa el costo real. Le pidió a varias personas del pueblo que donaran algo de dinero para arreglarle el piso a Apa y, al final, resultó más que suficiente. Como tu papá sabía que Apa era muy orgullosa y no iba a aceptar el dinero de nadie, mantuvo las donaciones en secreto. Cuando le dijo que había conseguido quedarse nueve dólares y cincuenta céntimos por debajo del presupuesto, Apa agarró su monedero y le pagó. —Los ojos de Nana se iluminaban cuando compartía un recuerdo feliz—. El papá de Izzy se pasó las dos semanas siguientes poniendo los azulejos. Quedaron preciosos. Apa siempre decía que, cuando trabajas con amor, una pequeña parte de ti se queda para siempre en lo que haces. Así que, Izzy, una parte de tu papá todavía vive en esa casa.

Mi corazón se llenó de orgullo y las palabras de Nana nos cubrieron como una colcha de retazos en la que cada pieza ha sido cosida con esperanza y amor.

16

FUEGOS ARTIFICIALES

El sábado siguiente, encontramos una nueva razón para celebrar. Frente a la parrilla, Mateo abanicaba el humo con un brazo mientras daba vueltas a los perros calientes con el otro.

Nana merodeaba detrás de él, vigilando lo que hacía el chico como una gallina a sus pollitos.

—¿Saben lo que contiene eso? Un montón de porquerías producidas en fábricas.

—Ay, Nana, siempre cocina para nosotros, pero el Cuatro de Julio déjenos hacer barbacoa al estilo californiano —dije, riéndome de lo incómoda que se ponía cuando otra persona cocinaba—. Incluso, tenemos sandía fresca del mercado local.

—¿Eso es lo que te da de comer tu mamá? —preguntó.

—A veces —dije, y me colgué de su brazo mientras cruzábamos el césped en busca de la sombra del portal—. Cuando vivíamos en la plaza Paraíso, había una parrilla cerca del cuarto de lavado para todos los vecinos. Como no podíamos usarla por más de quince minutos, siempre hacíamos perros calientes, que era lo más rápido.

—Cocinar es un arte —dijo Nana sacudiendo la cabeza—. No se trata de rapidez.

En el portal, Tía se abanicaba la cara con una servilleta de listas rojas, blancas y azules. Le dio unos golpecitos a Nana en el brazo cuando se sentó a su lado.

—Vamos, relájate por una vez —dijo, tomando dos rodajas de pepino de una bandeja, reclinando la cabeza y poniéndoselas encima de los ojos—. Es como un día en el salón de belleza, pero en tu propio patio.

Unas pompas de jabón flotaban sobre el césped y Frida saltaba en el aire tratando de atraparlas.

—Tienes que ser más rápida, Frida —dijo Maggie, sentada bajo el álamo grande en medio del patio y haciendo pompas con una varita.

—¡Miren lo que tengo! —anunció el señor Castillo mientras atravesaba el césped con los brazos llenos de cajas de colores, la de arriba a punto de caerse.

—¡Fuegos artificiales! —gritó Mateo.

Maggie dejó caer su varita en el césped y corrió hacia nosotros.

—¡Genial! —exclamé—. ¿Aquí se permite que cada uno lance los suyos?

—Arriba, en la meseta que está cerca del pueblo, donde no hay árboles, sí. Todo el mundo va a verlos. Es una tradición —dijo Mateo.

Mamá y yo no teníamos ninguna tradición para celebrar el Cuatro de Julio en California, salvo la de comer perros calientes. Cada año, mi mamá hacía un plan diferente para pasar la fiesta. A veces veíamos los fuegos artificiales en el parque o la playa, incluso en el estacionamiento de una tienda de comestibles donde un año repartieron perros calientes gratis. El verano que vivimos en la calle Elm, tratamos de verlos desde el balcón de nuestro apartamento en la tercera planta. Tuve que inclinarme bastante para poder ver las puntas de los fuegos artificiales. Mamá se puso nerviosa y me obligó a sentarme a escucharlos, mientras ella iba a la cocina a hacer la cena en una sartén que acababa de comprar.

Ahora, el olor familiar de los perros calientes asándose en la parrilla me hizo extrañar a mamá. Ella habría comido dos, con salsa en lugar de kétchup o mostaza.

Después de bendecir la mesa, empezamos a comer perros calientes, totopos con salsa, lo que quedaba de los pepinos y la sandía recién cortada. Vi que Nana le echaba salsa a su plato y sonreí.

Tía se levantó y se pasó las manos por su ajustado vestido verde.

—No son buenos para mi figura. ¡Parezco una salchicha! Tengo que comenzar a hacer ejercicio —dijo.

Se abanicó la cara y su cuerpo se movió como si fuera gelatina de limón. Maggie se rio y una gota de kétchup se le escurrió por un lado de la boca.

—¿Por qué no vamos todos a jugar un poco de béisbol? —dijo Mateo y me miró con una sonrisa—. Sería un buen ejercicio, ¿verdad Izzy?

—Pero solo somos seis —dije.

—Suficiente. Yo puedo lanzar, tú juegas primera y segunda base —dijo Mateo, volteándose a mirar a Maggie—. Tú cubres el jardín, con Frida. Y los adultos hacen el otro equipo. —Se levantó y comenzó a recoger la mesa—. Podemos jugar en el claro grande junto al río; la meseta estará llena de gente esperando los fuegos artificiales.

—¿Estás loco? —protestó Nana—. ¡Yo apenas puedo batear con un matamoscas! ¿Y tu mamá? Se podría romper una uña.

Todo el mundo se rio, menos Tía, que echó la cabeza hacia atrás, con aire de superioridad, y trató de arreglar su lápiz labial, que se había corrido, con una servilleta.

—Sepan que yo jugaba *softball* en la escuela intermedia —dijo Tía con orgullo—. Hasta gané un trofeo.

—Pero no vas a jugar con esos —dijo Mateo, señalando sus tacones altos—. ¿Tienes un par de tenis?

—Tal vez le sirvan los míos. —Me levanté, tomé a Tía por el brazo y nos alejamos mientras miraba a Mateo por encima del hombro—. O mejor, ¿por qué no juega en mi equipo? —le pregunté a Tía—. Mateo puede jugar en el del señor Castillo.

Dentro de la casa, cogí todo lo que íbamos a necesitar: los tenis para Tía, la camisa de papá para mí y la pelota de béisbol para todos.

Más tarde, en el claro, Nana se colocó detrás de la roca que designamos para marcar la base del bateador. Sostuvo el bate en la mano izquierda, lo apoyó en un hombro, se santiguó y se besó las puntas de los dedos. El señor Castillo lanzó la pelota por debajo del hombro. Nana intentó pegarle con el bate y este salió volando de sus manos en dirección a Frida, que se metió debajo de un arbusto a la velocidad de un rayo.

—Es más resbaladizo de lo que yo pensaba —se rio Nana.

Fui a buscar el bate y le dije a Nana que lo agarrara más fuerte. Movió la tierra con la punta de su tenis y se ancló de nuevo en su posición.

—Estoy lista.

El señor Castillo lanzó las tres bolas siguientes muy altas y hacia fuera.

—Oye, papá. No le vas a regalar la primera base, ¿verdad?

—Solo estoy calentando mi brazo oxidado.

El señor Castillo hizo varios círculos con el brazo y se frotó el hombro antes de lanzar otra bola alta.

—Es la cuarta —gritó Tía desde afuera del terreno—. ¡Ahora puedes ir a primera base!

Nana recogió su falda y avanzó a primera base con una sonrisa tan amplia como si hubiera bateado un jonrón.

Tía caminó hacia la base del bateador como si fuera una modelo de pasarela, de esas que salen en televisión. La siguió Maggie.

—¿Qué haces, mija? —preguntó el señor Castillo.

Maggie se agachó y se ajustó la mochila.

—Voy a correr por ella *pa* que no se sude.

El señor Castillo sacudió la cabeza mientras Tía colocaba el bate encima del hombro, doblaba las rodillas y movía las caderas.

—Lánzala directo al centro.

El señor Castillo debe haber pensado que ella no era capaz de golpear la pelota, porque la lanzó directamente hacia ella. Cuando Tía echó el bate hacia atrás, sus uñas de color frambuesa brillaron bajo el sol de la tarde. Golpeó la pelota tan fuerte que me temí que se partiera en dos. Subió y subió antes de estrellarse en el terreno.

Maggie salió disparada hacia primera base, con Frida pisándole los talones. Mateo recogió la pelota y la lanzó hacia el señor Castillo, quien tocó a Nana con la pelota mientras ella trataba de llegar a segunda base.

Llegó por fin mi turno. El señor Castillo movió el brazo en un círculo y lanzó la pelota por debajo del hombro.

Primer *strike*.

—¡No se lo pongas fácil, papá! —gritó Mateo desde el jardín central.

Miré a Mateo con los ojos entrecerrados. El señor Castillo hizo un segundo lanzamiento por debajo del hombro y golpeé la pelota con fuerza en dirección al jardín central.

—¡Corre, Izzy, corre! —me animó Tía, mientras Maggie llegaba a segunda, después a tercera y finalmente al *home*, para anotar nuestra primera carrera. Poco después, yo había llegado a primera y corría a toda velocidad hacia segunda. Mateo corrió tras la pelota, que había pasado por encima de su cabeza para acabar en un arbusto. Las piernas me ardían, pero pasé volando por tercera y continué hacia el *home*. Estaba a punto de llegar, cuando vi al señor Castillo con el rabillo del ojo. Había atrapado la pelota y corría hacia la roca que servía de *home*.

Pero llegó demasiado tarde. Pisé la roca antes de que pudiera alcanzarme.

El señor Castillo se llevó las manos al pecho y se echó a rodar por el terreno, con gran dramatismo, resollando.

—Bateas como tu papá, sin dudas —dijo con la respiración entrecortada. Sonrió y me devolvió la pelota.

La quemazón que sentía en las piernas se extendió al resto de mi cuerpo y besé la pelota.

—Gracias.

Nana, Tía y Maggie me vitorearon.

Cuando le llegó el turno de batear a Mateo, ya yo había calentado y estaba lista para ganar.

Parada en el montículo que construimos para el lanzador, levanté una pierna como hacen los jugadores en la televisión y lancé la pelota con todas mis fuerzas.

¡Crac!

Sentí una ráfaga de viento que se llevó la pelota sobre mi cabeza. La vi caer más allá de los arbustos, entre los álamos.

—¡Voy a buscarla! —grité, y corrí hacia los árboles.

Mateo gritaba.

—¡Jonrón!

Y yo sabía que era cierto. La pelota había volado demasiado lejos para que pudiera atraparla a tiempo y eliminar a Mateo.

Mientras me abría paso entre los arbustos, un viento caliente sopló a mi espalda, animándome a seguir hacia adelante.

—¿Es esto lo que buscas? —dijo una voz de mujer mientras yo buscaba por el suelo.

Cuando alcé los ojos, vi a una mujer delante de una pequeña casa de adobe. Tenía una manguera de jardinería en una mano y mi pelota en la otra.

—Sí —contesté, sin saber si me la iba a lanzar o si esperaba que yo fuera a buscarla.

Al acercarme, supe que había encontrado la casa de la cuentacuentos.

—Parece que tu pelota se las agenció para llegar a mi puerta —dijo, mientras miraba las palabras escritas en la superficie—. ¿Magia?

Me pasé la mano por el rostro caliente y sentí el paladar reseco.

—Eso lo escribió mi papá.

—¿Tú juegas? —me preguntó, dándome la pelota.

—No. Solo estábamos divirtiéndonos.

—Yo soy Socorro —dijo con una sonrisa—. Conozco a tu nana.

—Yo soy Izzy.

—Mateo me dijo que vendrías por aquí para escuchar un cuento.

—Con él y Maggie —dije, apretando la pelota.

—Vengan mañana... y no olvides traer tus fichas —dijo, y continuó trabajando en su jardín—. Debes regresar pronto. No querrás perderte los fuegos artificiales —añadió, mirando el cielo del atardecer.

—¿Cómo sabe... ? —dije y di un paso hacia atrás, asombrada— ¿Cómo sabe de mis fichas?

Socorro se rio sin voltearse.

—Nos vemos mañana —dijo.

Cuando corría de regreso, vi el primero de los fuegos artificiales explotar en el cielo con sus brillantes destellos blancos. Parecía como si del cielo cayeran cientos de pelotas de béisbol mágicas.

17

LA CUENTACUENTOS

Socorro estaba sentada en su mecedora, bajo el frondoso álamo de su patio. Su larga falda le llegaba más allá de los pies, arrastrándose por la hierba mojada.

—Bienvenidos —dijo cuando entramos por la puerta de atrás y atravesamos el césped. Llevaba su largo cabello recogido en una trenza, aunque algunos rizos caían sobre sus mejillas.

Maggie se sentó en el regazo de Socorro y Mateo y yo extendimos unas mantas en el suelo, delante de ella. Sobre la manta, al lado de Mateo, puse la bolsita de lona verde donde había metido las fichas.

Socorro abrazó a Maggie como lo haría una mamá osa con su cachorro.

—Bien, ¿qué tipo de cuento quieren escuchar hoy? —preguntó.

—Maggie quiere oír un cuento de fantasmas —dijo Mateo—. Uno de verdad.

Antes de que Maggie pudiera protestar, Socorro se rio.

—¿No eres demasiado mayor para pedir tus propios cuentos de fantasmas?

—No —dijo Mateo con enojo, apoyándose en los codos.

Una bandada de pájaros grises atravesó el cielo y se posó en una rama del árbol. También habían venido a escuchar el cuento.

—De acuerdo. Hoy les contaré una historia verdadera.

Socorro respiró profundo varias veces y cerró los ojos.

—Hace muchos, muchos años, una familia mexicana vivía cerca de este pueblo —su voz subía y bajaba con el tono perfecto de una canción de cuna. Luego contó que la familia había perdido la casa en un incendio—. Solo se salvaron una pared y el suelo, pero no tenían suficiente dinero para reconstruir la casa. Nadie en el pueblo quiso alojarlos, así que la mamá, el papá y la hija atravesaron el desierto en busca de ayuda, hasta que llegaron a una casa pequeña de adobe donde vivían dos hermanas. Las hermanas les dieron alojamiento y, al cabo de dos semanas, la niña se sentía muy a gusto con la forma de vivir de las mujeres. Hacían extrañas pócimas y recitaban palabras mágicas por las noches. Un día, las hermanas les pidieron que regresaran a la casa que se había quemado y durmieran en el suelo, asegurándoles que allí encontrarían algo inesperado. Todos pensaron que era una extraña petición, pero confiaban en las hermanas y regresaron, siguiendo sus instrucciones. La primera noche, durmieron en el duro piso de azulejos. La chica se despertó por la noche y sintió que unas manos frías agarraban sus pies.

Socorro abrió lo ojos y habló lentamente.

—Las manos frías siempre son una señal de que los muertos regresan de visita.

Maggie escondió su rostro en el cuello de Socorro.

—La noche siguiente, la chica volvió a sentir las mismas manos frías. La familia se enteró de que la casa había sido construida por un hombre que, se decía, había quedado atrapado en una pared cuando construyeron la casa y había muerto allí, de pie. Con el fuego, su espíritu quedó libre, pero no podía encontrar descanso. La niña creía que el espíritu tenía algo que enseñarle. Regresó a casa de las hermanas y les preguntó qué debía hacer. Le enseñaron un antiguo canto que solo se podía usar una vez y le dijeron que lo recitara sobre el río, a la luz de la luna llena.

Socorro cerró los ojos y levantó el rostro hacia el cielo, como si escuchara el aleteo de un ángel en pleno vuelo. Al poco rato, volvió a hablar.

—Cuando el espíritu por fin quedó liberado, apareció ante la niña y le pidió que levantara seis azulejos del suelo de su habitación. Allí encontró una cajita de madera llena de plata. La familia celebró su nueva riqueza. Ahora podrían reconstruir la casa y no tendrían que volver a preocuparse por el dinero. La niña estaba tan contenta que volvió a casa de las hermanas en el desierto para darles las gracias, pero no pudo encontrar el lugar. Era como si nunca hubiera existido. —Socorro abrió bien los ojos—. Pero la verdadera riqueza no estaba en la cajita llena de plata.

—¿Dónde estaba, Socorro? ¿Dónde? —preguntó Maggie con impaciencia.

Socorro miró al cielo.

—Se acerca una tormenta. Podemos terminar el cuento mañana. Deben irse a casa.

Maggie se levantó aplaudiendo y saltando emocionada.

—¡Quiero saber qué pasa! ¿Al final la niña vive feliz *pa* siempre?

Después de doblar las mantas, Mateo me dio un empujoncito y susurró:

—Pregúntale ahora.

Socorro se puso de pie y me preguntó si me había gustado el cuento.

—Sí, sobre todo que la chica pudo hablar con el espíritu —dije, mientras me colgaba la bolsa de lona al hombro, sin poder evitar pensar cómo sería hablar con mi papá, aunque fuera una vez—. ¿Esas cosas pasan de verdad?

—Claro que sí —asintió Socorro.

Mateo agarró a Maggie por el brazo.

—Ven, esperemos afuera —dijo, y salieron por la puerta lateral.

Me quedé a solas con la cuentacuentos, bajo el árbol. Socorro se acercó y miró mi bolsa. Su piel era tersa y resplandeciente.

—¿Puedo verlas, tus fichas? —dijo, y cuando se las di las miró y me volvió a mirar—. ¿Quieres saber cómo narrar un cuento?

Mi corazón saltó más rápido que un grillo de seis patas.

—Empiezo, pero no logro atar todos los cabos.

—¿Cuánto tiempo te sientas con tus cuentos?

—¿Sentarme?

—Tienes que tener mucha paciencia para contar cuentos. Y debes sentarte con la idea, dejar que se cueza lentamente como una sopa en el fuego. No te tomarías la molestia de preparar los ingredientes y ponerlos en la olla y pretender que se cocinen sin encender el fuego, ¿verdad?

—Así que... debo cocinar el cuento —dije, perpleja.

Deshizo su trenza y dejó que su cabello volara al viento.

—Es una buena forma de expresarlo. Esto es lo que debes hacer: cuando tengas una idea para un cuento, escríbela. No te preocupes si no es perfecta. Después, piensa en la idea y deja que se cueza a fuego lento mientras piensas. Toma nota de tus ideas, pensamientos, cualquier cosa que se te ocurra. Cuando yo era joven, escribía palabras sueltas que me gustaban o describía a gente que me parecía interesante.

—Pero...

—No te preocupes por qué viene primero y qué viene último. Simplemente escribe. Las piezas encajarán en el momento justo —dijo, y señaló hacia la casa—. Vamos adentro. Quiero enseñarte algo.

Volví a guardar mis fichas en la bolsa y seguí a Socorro hasta el portal, donde había muchos cristalitos de colores atados con cintas a las vigas. Al pasar, los tocó con la mano. Su música flotó, tintineando como una pandereta.

—¿Qué son? —pregunté, extendiendo la mano para tocarlos.

—Estos cristales de vidrio soplado reflejan la verdad. La artista calienta el vidrio con fuego y luego lo sopla para darle la forma que desea. La luz que reflejan lleva la verdad. ¿Ves este? —preguntó, señalando un cristal cuadrado de color turquesa—. Capta la luz de la primera luna llena del año.

Miré a través de un corazón de cristal de color melocotón, pero solo vi el porche de Socorro bañado por la luz del sol.

—Me han dicho que puede ver cosas que pasan muy lejos; a veces, incluso, en el futuro —dije, mirando los otros cristales brillantes.

Sus labios le dieron forma a una ligera sonrisa.

—¿Qué más te han dicho?

—Mateo dice que podría ver una tortilla en la luna.

Socorro se rio.

—Y tú, ¿qué piensas?

—En realidad, no entiendo cómo una tortilla podría llegar a la luna.

Riéndose, descolgó un cristal de color amarillo.

—Solo ciertas personas pueden ver la verdad en la luz y entender qué dice —dijo, mientras me alcanzaba el trozo de cristal redondo—. Quiero que tengas esto.

El cristal dorado tenía la mitad del tamaño de una tortilla, con varias burbujitas de aire suspendidas por dentro. Pero por fuera se sentía suave, como las manos de Nana.

—Cuélgalo cerca de tu ventana. Reflejará la luz del sol cuando entre en la habitación. Allí verás la verdad —dijo en voz baja.

—¿Qué tipo de verdad? —pregunté.

—El tipo de verdad más importante. Lo sabrás cuando llegue el momento.

Atravesó el porche y se sentó en un sillón grande que había en un rincón.

—Ahora, ¿tienes otra pregunta para mí?

Me parecía de mala educación hacerle una pregunta tan tonta, luego de que me tratara con tanta amabilidad, pero tenía muchas ganas de ver el mapa de Mateo. Y de demostrarle lo valiente que era.

—Su cabello... quería saber... ¿cómo se puso blanco?

Socorro acomodó su larga cabellera sobre su hombro derecho y lo miró a la luz menguante de la tarde.

—Saqué el cabello de mi padre. Él nació a la luz de la luna, igual que yo —dijo—. Cada año, durante la luna de la cosecha, sus rayos tornan blanco un nuevo mechón de mi cabello. Toda mi sabiduría y poder vienen de ahí.

—¿Y por qué es un secreto? —pregunté.

—No lo es. Es que... nadie me lo había preguntado antes.

Guardé el cristal en la bolsa de lona. Su peso tiró de la bolsa hacia mi costado. Antes de abrir la puerta de tela metálica, volví a mirar a Socorro.

—¿Puedo volver?

—Cuando quieras.

Cuando salí, Mateo se me abalanzó.

—Bueno, ¿qué? ¿Te enteraste del secreto de su cabello?

—Cuéntanos, cuéntanos —dijo Maggie, tirándome de la camisa.

Maggie y Mateo me miraban fijamente, como si mis palabras importaran muchísimo. Como si no hubiera nada más importante en el mundo.

—Es la luz de la luna —les dije, acercándome—. Dice que le da sabiduría.

—¿No ve fantasmas? —Mateo parecía decepcionado.

—Nada de fantasmas —dije.

—¿La luz de la luna me *pondrá* el cabello blanco a mí también? —preguntó Maggie con los ojos llenos de miedo.

—Claro que no —me arrodillé frente a ella y sonreí.

—¿Por qué tardaste tanto? —preguntó Mateo.

—Por nada —dije, pero la verdadera razón iba golpeando mi cadera mientras caminábamos de regreso a casa.

18

El mapa del tesoro de Mateo

Solo me quedaban tres semanas para volver a California, pero sentía que aún había muchas preguntas sin respuesta. Esperaba con ansias que el cristal de Socorro me mostrara muy pronto lo que necesitaba ver. Tal vez me revelara lo que el viento llevaba tanto tiempo tratando de decirme, o me dijera las palabras que faltaban en la pelota de béisbol.

No podía dejar de pensar en los consejos de Socorro sobre cocinar mis cuentos a fuego lento. Durante los días siguientes, anoté todo: los tonos rosados y dorados que se reflejaban en las montañas Sandía, la luna que parecía una pluma que bajaba flotando del cielo, la forma en que las tortillas de Nana me llenaban, las palabras que había oído en el viento.

—¿Qué haces? —preguntó Maggie cuando entró de pronto en la habitación, con Frida pisándole los talones.

—Estoy escribiendo.

Me gustaba decirlo. Parecía que se trataba de una cosa oficial, o algo así.

—¿Qué escribes? ¿Algo sobre mí? —preguntó Maggie, saltando sobre la cama.

—Todavía no tengo el cuento. Solo fragmentos.

—¿Puedes escribir un cuento para mí? Yo seré la princesa y tú puedes aparecer en él si quieres, pero asegúrate de que yo pueda volar. Ah, y podrías hablar de la escalera que voy a construir...

Alcé los brazos al cielo y me reí.

—Espera. Es mucha información. Cuando aprenda a escribir un cuento entero, te prometo que escribiré uno para ti.

—¿Cuánto vas a tardar en aprender?

Miré mis fichas y me encogí de hombros.

—Lo que tarde en hacer que alguna de estas fichas encaje con otra.

Maggie saltó de la cama y se inclinó sobre la mesa.

—¿Eso es todo? ¿Solo tienes que hacer encajar esas tarjetas?

—Algo así.

Agarró una ficha en blanco y, sacando la lengua por un lado de la boca, escribió: *"prinsesa* voladora". Luego, me la entregó.

—Para que no se te olvide.

—No se me olvidará —dije, halando con suavidad una de sus trenzas—. Vamos, Mateo nos espera para buscar el tesoro y para mostrarme el mapa. ¿Lista?

Agarré mi bolsa de lona, que había llenado de tortillas, y salimos corriendo.

Frida iba delante, deteniéndose a cada rato para oler la tierra, como si buscara una pista. Nos encontramos con Mateo cerca de la hamaca, como habíamos planeado, y tomamos la carretera sin asfaltar, entre los árboles. Mi bolsa rebotaba en mi cadera por el peso de la pelota que llevaba dentro.

Mateo iba al frente, con el mapa en la mano.

—Pancho Villa era un bandido mexicano famoso que robó un carro del ejército de Estados Unidos y escondió el tesoro en algún lugar cerca de aquí.

—Mateo, ¿cómo sabes que existió ese tesoro? —preguntó Maggie desde la retaguardia.

—Porque me lo contó mi papá y su papá se lo contó a él.

—¿Y por qué crees que nadie lo ha encontrado? —pregunté.

Mateo rodeó mis hombros con su brazo. Se acercó a mi oído y susurró:

—Porque hay fantasmas resguardando el tesoro.

Dejé que se quedara cerca de mí por un momento, antes de apartarlo.

—Según la leyenda, Pancho Villa mató a sus guardias y dejó sus cuerpos con el tesoro para que estuviera siempre protegido —añadió.

—¿Me van a hacer daño, Izzy? —dijo Maggie, corriendo hacia mí y abrazándome por la cintura.

—No —dije y le lancé una mirada fulminante a Mateo—. No seas tonta. Los fantasmas no pueden hacerte daño, Maggie.

Mateo acarició la cabeza de Maggie:

—Nadie te va a hacer daño. Yo soy el que lo va a ir a buscar —dijo y me miró con una sonrisa torcida—. Supe que alguien había encontrado el lugar donde está enterrado, pero le tenía demasiado miedo a los fantasmas para desenterrarlo. Fue él quien hizo el mapa. Mi bisabuelo lo obtuvo de él en una apuesta de póquer.

Extendí la mano para que me entregara el mapa.

—Un trato es un trato —dije—. Demostré que soy valiente, enséñamelo.

Mateo lo pensó un momento, pero bajó la cabeza y me lo dio.

—Para la valiente Izzy.

Me erguí y le guiñé un ojo a Maggie mientras Mateo me daba el mapa. Era un papel marrón, arrugado, con los bordes estropeados. Parecía, más bien, la envoltura de un sándwich. Mateo miraba por encima de mi hombro cómo yo descifraba los dibujos infantiles. En la esquina superior derecha, una rosa de los vientos señalaba los cuatro puntos cardinales. En el centro, había cinco líneas pintarrajeadas, tres árboles a la derecha, unas montañas encima de los árboles y una equis gigante cerca de unos arbustos. En la parte inferior, unas palabras apenas legibles, garabateadas en cursiva, decían:

Deberás volar con fuego, si deseas ver el tesoro luego.

Alcé el mapa para verlo a la luz del sol que empezaba a salir de detrás de las nubes plateadas.

—¿Te parece que tiene sentido? —preguntó Mateo—. Sé que está al oriente del río, pero ¿qué crees que significan esas palabras?

—No estoy segura —dije.

Mateo daba patadas en la tierra.

—Tiene que haber algo más que no estoy viendo.

—Bueno, la equis está cerca de los arbustos, sabemos eso, ¿verdad? —dije.

Mateo resopló y se inclinó sobre el mapa. Olía a jabón y agua.

—Yo quiero ayudar —dijo Maggie, e hizo por agarrar el mapa, pero Mateo me lo quitó antes de que ella pudiera tocarlo.

Un puchero comenzó a asomarse en los labios de Maggie y le eché una miraba a Mateo que quería decir: *devuélvemelo o te vas a arrepentir.*

—Nadie ha dicho que no puede verlo, solo que no puede tocarlo, ¿verdad? —pregunté.

Mateo me lo devolvió de mala gana. Maggie sonrió y se acercó, mirando fijamente el mapa del tesoro.

—Eh, no sabe escribir muy bien.

—¿Quién no sabe? —preguntó Mateo.

—El que haya *escribido* eso. Esa B está al revés —dijo Maggie, señalando los arbustos—. Debería ser una línea hacia arriba y dos curvas a la derecha. Así me enseñó mi maestra.

Mateo tomó a Maggie en sus brazos y le besó la cabeza.

—Eres un genio. Eso es. Tenemos que encontrar un grupo de arbustos que tenga forma de B.

—¿Sabes cuántos arbustos hay por aquí? —pregunté, mirando el matorral de árboles y arbustos a nuestro alrededor.

Frida se lamió las patas, al parecer aburrida de nuestra conversación sobre tesoros y letras.

—Tengo hambre —dijo Maggie, sacando una bolsita de golosinas del bolsillo.

Frida se paró en las dos patas de atrás y esperó a que Maggie le ordenara sentarse, darse la vuelta y temblar. Cada vez que lo hacía bien, ella le daba una golosina con mantequilla de maní.

—A ver... ¿dónde está tu espíritu aventurero? —le dijo Mateo a Maggie.

Maggie se frotó la barriga.

—Se está comiendo mis tripas.

Saqué mi bolsa y le di una tortilla a cada uno. Mateo la inspeccionó, mirándola a contraluz.

—¿Quién ha hecho esto? No se parecen a las tortillas de Nana.

—Pues no te la comas si no te gusta la pinta —dije y eché la cabeza hacia atrás, caminando frente él—. ¿Acaso *tú* sabes hacerlas?

—¿Todos los californianos son tan graciosos como tú? —se rio y corrió a mi lado.

—Solo cuando se trata de tesoros.

—Ah, la valiente Izzy sabe hacer chistes —dijo con una reverencia.

De pronto, el viento se arremolinó entre los árboles, susurrando en mi oído:

—*Ven...*

—Tengo una idea. Yo iré hacia el sur siguiendo el río y trataré de encontrar un grupo de arbustos en forma de B. Ustedes pueden ir hacia el norte. Así cubriremos más terreno —dije con prisa.

Maggie me tomó la mano:

—Izzy, ¿te molestas si voy con Mateo? Es que creo que él puede asustar mejor a los fantasmas.

—Está bien —dije, aliviada y contenta de quedarme sola para seguir al viento.

El viento tenía un tono ronco e impaciente. Los árboles, sedientos, se doblaban sobre la ribera, besando las flores blancas salvajes que crecían cerca de la arena. Imaginé a mi mamá, de niña, salvando a los peces y me reí. Seguí el curso del río corriente abajo, tirando piedras y ramitas a mi paso. Las nubes extendidas sobre mí proyectaban largas sombras en el agua.

Algo blanco a lo lejos me llamó la atención. Tomé una senda entre árboles de grandes ramas hasta llegar a una pequeña cruz de madera. Estaba rodeada de montones de rosas plásticas rojas y blancas. El viento que se retorcía en el matorral se volvió al fin una brisa débil que me acarició las mejillas.

—*Bella.*

—¿Por qué me has traído hasta aquí? ¿Y por qué sigues llamándome Bella?

Me arrodillé y pasé los dedos por la cruz inclinada. ¿Habría alguien enterrado aquí? ¿Por qué no tenía nombre? La brisa seguía a mi lado, como esperando a ver si yo encontraba algo.

Mi corazón latía al ritmo del río que fluía tranquilo y constante. El murmullo suave de los árboles que se mecían, el gorgoteo del río y la suave brisa creaban una sinfonía de sonidos que cantaba: *tú perteneces a este lugar.*

Me tumbé bocabajo y vi que algo plateado sobresalía por entre las rosas. Aparté las flores y encontré una cajita de metal. Tenía un cerrojo.

El viento trajo las voces de Maggie y Mateo, quienes aparecieron de repente.

—¿Encontraste algo? —preguntó Mateo. Sonaba esperanzado.

—Esto estaba aquí.

Les enseñé la caja y me arrodillé frente a la cruz.

—¿Qué hay dentro? —dijo Mateo.

—Está cerrada con llave. —Me encogí de hombros—. ¿Es una tumba?

—Es un descanso —dijo Maggie—. Es para los muertos.

Me aparté de prisa.

—No —dijo Mateo—. En realidad, marca el lugar donde alguien murió.

—¿De quién es? —pregunté, pero mi corazón sabía la respuesta.

19

BELLA Y EL FANTASMA
DE MALVAVISCO

Cuando Maggie y yo regresamos a casa, había olor a enchiladas de chile verde y sopa de pollo. Me alegré de encontrar a Nana en la cocina haciendo tortillas. Las cosas parecían volver al fin al ritmo al que me había acostumbrado y que tanto me gustaba.

Maggie se quedó dormida en la habitación de Nana, junto a Frida, y yo corrí a la cocina para hablar con Nana a solas.

—¿Puedo ayudar, Nana?

—Claro que sí, mija —Nana me puso un cuenco de masa delante. Comencé a formar bolitas, colocándolas a un lado.

Dale la vuelta. Aprieta. Enrolla. Dale la vuelta. Aprieta. Enrolla.

Había una tortilla que pensé que saldría bien. Pero, cuanto más me esforzaba, más se quedaba pegada al mostrador. Sin darme cuenta, se convirtió en algo parecido a la letra D.

Deceso. Difunto. Descanso. Volví a formar una bolita con la masa y la hice rodar por el mostrador. Con un suspiro, miré cómo Nana apretaba y enrollaba a un ritmo perfecto.

—Hoy encontré algo cerca del río —dije—. El viento me fue guiando hasta allá.

Nana se volteó para terminar de lavar los platos en el fregadero.

—¿Qué dijo el viento? —preguntó, como si hablar con el viento fuera la cosa más normal del mundo.

Respiré profundo y escogí las palabras con cuidado.

—Me llevó hasta una cruz blanca. Maggie dijo que era un descanso.

—Ven. Vamos a sentarnos —dijo Nana y me llevó al salón, donde encendió una vela en el altar de la Virgen María, que estaba lleno de medallas de plata y estampitas. Atrás, había una escultura de la virgen, tallada en madera, como las que había en la iglesia, con dos rosas de plástico a sus pies.

—Un descanso es el marcador de un viaje interrumpido, cuando la vida se interrumpe antes de tiempo. Yo lo puse allí —dijo Nana.

—¿Es de mi papá? —susurré.

Nana asintió. Un millón de susurros se deslizaron por mi espalda.

—Es solo un marcador —continuó Nana—. Es parte de nuestra tradición honrar y celebrar la vida de los seres queridos. Yo puse el marcador allí para honrarlo.

—¿Es allí donde se... ahogó? —pregunté mientras miraba la llama parpadeante de la vela, tan tenue que pensé que se apagaría.

—Sí, mija —Nana apoyó su mano pequeña sobre mi pierna.

Me incliné para tomar la bolsa, que estaba a los pies del sofá, y saqué la cajita.

—Entonces, ¿esto era de él también?

Nana miró la cajita de metal y sonrió.

—La dejé allí para ti. A tu papá le hubiera gustado que la tuvieras.

—¿Y por qué no me la entregó directamente?

—Sabía que la encontrarías a su debido tiempo. No me tocaba decidirlo.

Acuné la cajita como si fuera un bebé recién nacido. Me pareció ligera y llena de esperanza.

—Está cerrada con llave.

—Un momento —Nana desapareció por el pasillo y volvió, pocos minutos después, con una llavecita plateada.

—Gracias —susurré, y observé la llave en la palma de mi mano.

Quería estar sola. Me llevé la cajita a Estrella y la puse sobre la cama.

Con cuidado, metí la llavecita en el cerrojo y lo abrí. Cuando levanté la tapa, mis ojos por fin vieron la cara que tanto había estado buscando. Se parecía a la mía.

Cuando saqué la foto de la caja, estudié sus intensos ojos verdes. Mis ojos. Los tenía entrecerrados por el sol y su sonrisa era amplia y afable. Estaba en un terreno de béisbol y tenía el bate apoyado sobre el hombro izquierdo y una pelota en la mano derecha. ¡Mi pelota!

Mi respiración se aceleró cuando observé la foto más de cerca. Por más que lo intenté, no pude leer las palabras escritas en la pelota; pero pude ver que había tres palabras flotando entre *porque* y *magia*.

Debajo de la foto, había una tarjeta de color marfil con una nota. La abrí. La fecha era de una semana antes de mi nacimiento.

¿Cómo está nuestra niña? Tengo muchísimas ganas de conocer a Bella.

Entonces, el viento no estaba equivocado. Doblé varias veces una esquina de la tarjeta mientras intentaba entender, antes de volver a mirar la nota.

Iré pronto a casa. Las quiero y las extraño a las dos. Jack.

Sentí que mi cabeza salía flotando por la ventana, como un fantasma de malvavisco.

20

LA VERDAD DESTROZADA

Nana dejó una nota en la mesa de la cocina a la mañana siguiente, diciendo que había salido de compras al pueblo. Había dibujado una carita sonriente y una flecha señalando un plato con burritos de huevos con tocineta.

Tomé uno y regresé a Estrella. Cuando sonó el teléfono, esperaba escuchar la voz de Nana o de Mateo.

—¿Izzy?

—¿Mamá?

—Cuánto me alegro de escucharte —dijo, riendo al otro lado de la línea—. La conexión aquí es pésima.

—Necesito hablar contigo... —dije, sin saber si estaba alegre o enojada.

—Tengo muchas ganas de verte. Solo faltan un par de semanas. ¿Escuchas la lluvia?

Su voz me recordó lo mucho que la extrañaba.

—¿Por qué no me contaste nada? ¿De mi nombre? ¿De papá?

Interferencias.

—¿Hola? ¿Mamá? ¿Estás ahí? —sacudí el teléfono.

Silencio.

Había tantas cosas que quería preguntarle, pero hablar con ella parecía más difícil que enviar una tortilla a la luna.

—Izzy, ¡socorro, socorro! ¡Estoy sangrando! —gritó Maggie.

Colgué el teléfono y corrí al salón, no sin antes golpearme la cabeza con el dintel de la puerta.

—Déjame ver. ¿Dónde?

Maggie estaba apoyada en el sofá, llorando. Abrió la boca. De sus encías salía sangre.

—Es solo un diente —dije, riendo—. ¿Está flojo?

—No. —Sacudió la cabeza y siguió llorando—. Lo puedo saborear. ¡Me estoy *moriendo*!

La llevé al lavabo y le pedí que escupiera un par de veces.

—No te vas a morir. Te lo prometo. ¿Quieres que te lo arranque?

—¿Mi diente? —dijo aterrada—. No, ¡lo quiero!

—Pero, Maggie, tenemos que arrancarlo porque, si no, el diente nuevo no podrá crecer. ¿No quieres que el hada de los dientes te venga a visitar esta noche?

—¿Hada?

Asentí con la cabeza y ella dejó que le arrancara el diente flojo.

—Oye, no dolió —dijo con su nueva sonrisa sin diente. Se enjuagó la boca varias veces con agua tibia y sacó la lengua por el agujero, con una sonrisa—. Me parece raro, es resbaloso —añadió, y se volvió hacia Frida—. ¿Luzco diferente?

Cuando vi a Maggie sin el diente, me acordé de aquel primer día en nuestro nuevo apartamento de la calle M, cuando encontré la foto mía a los seis años en la playa con mamá. Fue el mismo día que encontré la pelota de béisbol. Ahora parecía un recuerdo tan, tan lejano.

Frida se paró sobre sus patas traseras y Maggie le sonrió. Por un momento, pensé que iba a ladrar.

Maggie y yo nos sentamos al borde de mi cama, planeando una celebración por su diente caído.

—¿Podemos tomar helado, Izzy?

—Claro que sí. Haremos una fiesta con helado y sopaipillas.

Maggie gritó y me abrazó.

—¿Podemos sacar tu sol de cristal? Se vería muy bonito colgado del árbol.

—Eh, Socorro me dijo que lo dejara en la ventana.

Maggie tomó el cristal de donde lo había colgado cuando regresamos de casa de Socorro.

—Pero es tan bonito.

—¡Dije que no!

—Es solo un trozo de cristal —dijo, y me miró desafiante.

Se subió a la cama y puso el cristal delante de sus ojos.

—Todo está amarillento —se rio.

—Suéltalo —me incliné para quitárselo, pero se echó hacia atrás y el cristal de la verdad se cayó de sus manos en cámara lenta, como un copo de nieve gigante que cae del cielo.

Se estrelló contra el piso de azulejos de Saltillo antes de que pudiera agarrarlo.

Vi cómo se hacía añicos. Por mi mente pasaron las imágenes de los azulejos rotos en el suelo en nuestra casa de la calle M.

—¡Lo rompiste!

Maggie saltó de la cama y cayó al suelo.

—Ay, lo siento, Izzy. No quería romperlo —dijo, tratando de recoger las piezas—. Quizá Socorro te regale otro.

—No lo hará. Es único —dije, llena de furia—. ¡Déjame en paz!

—Pero nuestra celebración...

—Olvídalo. Ya no hay nada que celebrar.

Miré boquiabierta los trozos de cristal roto. Ahora nunca vería lo que Socorro me había dicho.

Horas después, una mezcla de sentimientos se revolvían dentro de mí. Pensé en todo lo que había perdido Maggie y me enojé conmigo misma por haber sido tan cruel. Entonces, las piezas del cristal roto me recordaron todos los pedazos de historias que mamá nunca me contó sobre papá, incluido mi nombre, y me volví a enojar. Pero con cada hora que pasaba se hacía más difícil pedir disculpas, así que seguí enojada con Maggie y me quedé en mi cuarto el resto de la tarde.

Cuando llegó Nana, me encontró comiendo tortillas en la cocina. Iba por la tercera, esperando que cada tortilla me hiciera sentir mejor. Ni siquiera me molesté en untar la última con mantequilla.

Nana soltó una brazada de sacos de papel llenos de comida.

—Hola, Izzy. ¿Estás bien?

Negué con la cabeza, pellizqué mi tortilla con los dedos y me comenzó a doler el estómago.

—¿Qué pasa? ¿Qué tienes?

—¡Maggie rompió mi cristal de la verdad! El que me dio Socorro —dije, tratando de no llorar—. Ahora nunca veré la verdad —añadí, escondiendo la cara entre mis brazos, cruzados sobre la mesa.

Nana se sentó a mi lado y me acarició el cabello.

—¿Qué verdad te gustaría ver?

Tardé un rato en contestar. Al fin, levanté la cabeza y me sequé los ojos con los dedos.

—No lo sé, pero estoy cansada de que la verdad siempre me llegue en trozos —dije, apoyando el codo en la mesa y sujetándome la cabeza con la mano—. Como mi nombre. ¿Por qué no me lo había dicho?

—Sí lo hice —respondió, sonriendo con dulzura—. Te di la llave de la cajita.

Nana dobló por la mitad lo que quedaba de mi tortilla y la apretó, pero no se partió en dos como las que venden en el mercado.

—¿Eso qué significa? ¿Mi nombre verdadero es Bella?

—Tienes demasiadas cosas en qué pensar. Por eso llegan en trozos. Así puedes absorberlos mejor —dijo, y me tomó de la mano—. Tu papá y tu mamá te nombraron Bella antes de que nacieras. Después, con todo lo que pasó, tu mamá eligió Isadora, que también es un nombre hermoso.

¿Eso debía hacerme sentir mejor? Quité una miga de tortilla de la mesa, que cayó al suelo.

—El nombre que te dan no es tan importante como lo que llevas aquí dentro —dijo, llevándose la mano al corazón—. Y esa es la verdad. Si existe otra verdad, la verás en su momento.

—Pero, ¿cómo? Socorro me dio el cristal para que descubriera la verdad más importante. Y ahora está roto y nunca sabré cuál es.

—Mi nana me dijo una vez que todo lo que se rompe se puede arreglar —dijo Nana, apoyada en el mostrador de la cocina.

Negué con la cabeza.

—Las piezas son demasiado pequeñas y afiladas para poderlo arreglar. Ni siquiera sabría por dónde empezar.

—Sabes, mija, a veces tenemos que ver las cosas desde otro punto de vista. Todavía estás mirando el cristal de la verdad como una pieza entera. Pero ha cambiado de forma —dijo, señalando al suelo—. Mira los azulejos de Saltillo. ¿Qué ves?

—Azulejos desiguales —contesté, mirando hacia abajo.

—Ah, Izzy. Mira más de cerca. Cada azulejo es único. ¿Ves? Los surcos y las marcas son diferentes en cada uno. Y, cuando se colocan en el ángulo correcto y se alinean bien, forman un suelo nuevo.

Nana se levantó y me acarició la cabeza.

—Trata de no ver el cristal como crees que debe ser. En su lugar, estudia las piezas de dos en dos para ver si conectan y cómo. De esa manera, lo reconstruirás.

—¡Nunca podré arreglarlo y nunca veré la verdad más importante!

Atravesé el jardín y bajé la colina, corriendo sin rumbo. Solo quería correr. Rápido y lejos. Me detuve cuando llegué a la hamaca y me acosté. Las lágrimas me quemaban los ojos y el aire parecía inmóvil y triste. Frida saltó sobre mí sin que la hubiera invitado.

—¿Te envió Maggie para que me rogaras? Olvídalo. Vuelve y dile que sigo enojada.

Frida dio varias vueltas y se sentó con la cabeza apoyada en las patas. Bajo su oscura ceja, sus ojos verdes se suavizaron.

—¿Te quieres quedar aquí? —dije, acariciándola entre las orejas—. Tienes suerte de ser una gata. Perdona, quería decir un perro. Es solo una palabra. No significa nada. —Le acaricié las orejas y escuché su ronroneo—. Supongo que somos iguales en ese sentido. Mi nombre verdadero es Bella. Mi papá me lo puso. —Miré hacia un lado y levanté la barbilla—. ¿Qué crees? ¿Parezco una Bella o una Izzy? Por supuesto, Isadora no.

Frida se puso bocarriba y sacó su larga lengua por un lado de la boca, jadeando. Parecía un perro más que nunca.

—Isadora. Isa. Bella... Oye, Frida, tal vez pueda ser Izzy y Bella —susurré—. Isabella Reed Roybal.

Frida se levantó, se acercó a mi cara y me lamió la mejilla.

—Sí, a mí también me gusta.

Imaginé cómo sonaría la voz de mi papá y cómo me diría: "Bella, ¿quieres jugar a la pelota?".

La luz del sol atravesaba los árboles y, al columpiar la hamaca, mi sombra se movía de un lugar a otro. Pensé en papá colocando los azulejos en casa de Apa, en cómo pudo encajar las piezas.

Una paloma se posó en una rama sobre mí. Se quedó solo un momento, antes de salir volando y unirse a una bandada de pájaros que parecían pedacitos de papel negro flotando al viento. Me recordaron las piezas que aún faltaban en mi historia. Hubiera querido ser un pájaro para poder volar a donde quisiera. Para tocar las nubes y el cielo, para estar más cerca del viento.

Miré las palabras escritas en la pelota.

—Ojalá estuvieras aquí, papá —susurré—. Podrías decirme las palabras que faltan y cómo arreglar el cristal de la verdad.

Pensé en la niña del cuento de Socorro y en cómo pudo liberar al espíritu con un canto. Estaba cocinando la idea, primero a fuego lento, hasta que rompió a hervir a medida que fui poniéndole cabeza.

Podría ser mi única oportunidad.

Miré a Frida.

—¿Qué opinas? ¿Podría funcionar? Tal vez necesito una señal que me dé la certeza.

Frida levantó las orejas.

—Hagamos esto: lanzaré la pelota tan alto como pueda y, si la atrapo, le diré a Socorro que me enseñe el canto.

Me puse de pie, con una pierna a cada lado de la hamaca, y lancé la pelota hacia el cielo. La esperanza creció en mi pecho a medida que caía. Pero, de pronto, la pelota se detuvo y quedó atrapada entre las ramas del árbol que estaba sobre mí.

Solté el aliento que había estado conteniendo. Justo cuando me dejé caer de nuevo en la hamaca, una brisa caliente acarició mis brazos desnudos y me puso la piel de gallina desde la nuca hasta los dedos de los pies. Y, de pronto, en una sola ráfaga, el viento sopló hacia el árbol y sacudió sus ramas con fuerza.

La pelota cayó en mi regazo.

21

LLAMANDO A PAPÁ

Le conté a Mateo sobre mi plan de llamar al espíritu de papá y la señal que había recibido. Al principio, no quería ayudarme, pero le recordé la moneda de la suerte y la promesa que había hecho aquel día en el camino del fantasma.

—¿Cómo va a funcionar eso? —preguntó.

—Funcionó en la historia que nos contó Socorro, y ella dijo que era una historia verdadera, así que es posible. ¿Verdad?

—Supongo que sí —dijo, encogiéndose de hombros.

—Hablaré con Socorro y le pediré detalles. Esta noche habrá luna llena. Nos encontraremos a medianoche cerca de la hamaca e iremos al río.

Mateo no dijo una palabra.

—¿Me vas a ayudar o no? —insistí.

—Sí, allí estaré. Solo espero que sepas lo que haces.

Visité a Socorro y le pregunté si el canto funcionaba de verdad.

—¿Por qué quieres saberlo? —me preguntó.

—Necesito hablar con mi papá. No puedo seguir esperando el momento oportuno. Estoy cansada de esperar. Si el cuento es verdadero, si la chica del cuento pudo llamar a un espíritu, yo también puedo hacerlo, ¿no?

Sonrió con dulzura y me preguntó por el cristal de la verdad. Cuando le dije que se había roto, juntó las cejas.

—Lo siento mucho. Fue un accidente —dije.

—Sí, lo sé —dijo, y se detuvo un momento—. Sígueme. Te daré el canto.

Me entregó una hoja de papel doblada.

—¿Te gustaría oír el resto de la historia ahora?

—Tal vez en otro momento. Ahora tengo que irme.

Tomé el papel y me dirigí hacia la puerta.

—¿Cree que me conocerá?

—Siempre te ha conocido.

Antes de que pudiera decir una palabra más, salí corriendo por la puerta y no paré hasta llegar a casa. Mis piernas pisaban fuerte en la tierra mientras subía y bajaba las colinas y sorteaba los árboles. Mi largo cabello volaba libremente al viento y el sol besaba mi rostro sonriente.

Aquella noche, luego de que Maggie y Nana se acostaron, la casa se llenó de paz. Le había dicho a Maggie que no quería dormir más con ella y me preparé una cama en el sofá para que fuera más fácil escaparme. Si tanto quería a Estrella, podía quedársela. Tenía cosas más importantes en que pensar.

La luz brillante de la luna llena se vislumbraba en lo alto, más allá de la fronda de los árboles. Cerca de la medianoche, miré por la ventana y escuché el susurro del viento que me invitaba a salir.

—*Ven, Bella.*

Pasé los dedos por la palabra *magia* escrita en la pelota de béisbol.

—Hoy la voy a necesitar —susurré, guardándola en el bolsillo de mi sudadera.

Todos los santos de las paredes me miraban fijamente mientras me movía por la casa, y un sentimiento de culpa se me atravesó en la barriga como un trozo de masa de tortilla cruda. Al llegar a la puerta trasera, la abrí suavemente y la cerré con cuidado detrás de mí. Fui corriendo hacia la hamaca y el viento empezó a aullar, los árboles se inclinaron y un rayo dividió el cielo. Mi valor iba palideciendo a cada paso que daba.

¿Qué pasaría si algo salía mal? Espanté ese pensamiento de la cabeza. Había esperado mucho por respuestas que siempre venían en pedazos. Al llegar a donde estaba Mateo, me había quedado sin aliento.

—¿Estás bien? —preguntó.

—Sí —asentí—. Anda, vámonos.

—Izzy, quizá deberíamos esperar a que pase la tormenta.

—Yo no espero más. Si quieres volver, vuelve.

Mateo negó con la cabeza:

—No. Hice una promesa.

Corrimos por entre el matorral y por encima de las rocas, hasta que llegamos al río serpenteante. Justo en ese momento, recordé algo más de la historia.

—Según el cuento de Socorro, el canto tiene que recitarse sobre el río. ¿Recuerdas?

—El puente.

Mateo señaló río arriba. Corrimos hacia el puente. El viento continuaba aullando por el valle y los truenos retumbaban en el cielo. No teníamos mucho tiempo.

—El agua está muy alta. ¿Seguro que no hay peligro? —preguntó Mateo.

Asentí y me dirigí al puente. Él me agarró del codo.

—¿Quieres que vaya contigo?

—No, tengo que hacer esto sola.

—Te esperaré en la ribera —dijo, soltándome.

El puente colgaba a apenas un pie del agua, y se tambaleaba mientras yo intentaba llegar al centro, agarrada a una barandilla de cuerda resbaladiza. El torrente de agua me salpicaba los pies, pero seguí avanzando.

La luna llena apenas alumbraba lo suficiente para ver el brillo del agua que corría hacia el océano. Cuando el viento zarandeaba el puente, no me sentía tan valiente, pero había llegado demasiado lejos para volver atrás.

Me había aprendido de memoria el canto escrito en el papel. Me volví hacia el occidente, respiré profundo y dije:

—¡Espíritu del occidente! Fuente del ocaso y de la muerte, lugar de tristeza y desiertos vacíos. Reclamo aquello a lo que tuve que renunciar.

Me volví hacia el oriente:

—¡Espíritu del oriente! Fuente del amanecer y el lugar de los comienzos. Reclamo...

—¿Izzy?

Me volví hacia Mateo, quien me esperaba en la orilla, a pocos pasos de distancia.

—¡Qué!

—¿Oíste algo? Creo que hay alguien más aquí.

Empecé a temblar por dentro; mientras, la lluvia descendía del cielo.

—Pero aún no he terminado. No puede haber llegado.

De pronto, llegó Frida corriendo con Maggie detrás.

—¡Maggie! ¿Qué haces aquí?

—Quiero hablar con Apa y con mi mamá. Escuché cuando le contabas a Mateo lo que ibas a hacer y también quiero hacerlo.

La furia contenida en lo más profundo de mi ser explotó.

—No puedo creer que nos hayas seguido hasta aquí. Lo estropeas todo. ¡Lárgate!

—¿Qué te pasa, Izzy? —dijo Mateo desde el extremo del puente—. No puede regresar sola en la oscuridad. Además, está diluviando. Tenemos que volver a casa.

—¿Por qué no? —dije, apartando la lluvia de mis ojos—. Logró llegar hasta aquí sola.

—Vamos, Maggie. Yo te llevo —gritó Mateo por encima de la lluvia, y se acercó a los tablones de madera mojados.

—No quiero ir a casa. ¡Quiero ver a Apa!

Frida daba vueltas entre mis piernas, su pelaje gris erizado como pinchos oscuros. La furia debió haberse adueñado de mis pies, porque pateé con fuerza y casi le doy a Frida. Saltó hacia atrás y quedó colgando del borde del puente.

—¡Frida! —gritó Maggie.

Frida pendía del puente como un pez de un anzuelo. La mitad de su cuerpo se agarraba del puente y la otra mitad se balanceaba sobre el agua. Arañaba y rasguñaba, tratando de salvarse. Cuando me incliné para rescatarla, el puente se inclinó y se tambaleó. El viento aullaba a través del cielo nocturno.

—¡Izzy, ten cuidado! —gritó Mateo.

Traté de agarrarme a la cuerda para recuperar el equilibrio.

—Maggie, quédate quieta. ¡No sueltes la cuerda!

Extendí una mano hacia Maggie sin soltar la otra. Vi el pánico en sus ojos y supe que no me había escuchado. Soltó la cuerda y se inclinó para salvar a Frida. Chapoteó cuando cayó al agua.

—¡Izzy! —gritó su vocecita.

En un instante, la corriente oscura del río Bravo se había tragado el pelo dorado de Maggie y no se veía nada de Frida.

Sin pensarlo dos veces, salté al agua.

—¡Maggie! —el golpe de agua fría me llegó hasta los huesos. Con el rabillo del ojo, vi que Mateo también saltaba al río.

Traté de mantener la cabeza afuera del agua, pero el río corría a un ritmo tan fuerte y poderoso que me hacía rebotar como una piedrecita y me golpeaba el coxis y las piernas contra las rocas y ramas afiladas. La lluvia caía rápido y fuerte y no podía ver hacia dónde me dirigía.

La oscuridad abrazó el valle y se unió al baile peligroso del río.

—Mag... —el agua me llenaba la boca, cortándome el aire.

De pronto, el río se hizo más profundo y me sumergí aún más en la negrura.

Intenté agarrarme a cualquier cosa. Recordé las veces que, nadando en el océano, la fuerza de las olas que rompían me hacía revolcarme. "Mantén la calma y deja que la fuerza de la ola se canse", me decía siempre mamá.

Sentí que una mano que debía de ser la de Maggie me agarraba, jalándome hacia las profundidades. Me esforcé por tomar aire. El cielo parecía más oscuro y, cuanto más me esforzaba por salir, más me hundía en el agua.

Dios mío, por favor, ayúdame. Pensé en mamá y papá. No quería morir. Sin saber cómo, conseguí sacar la cabeza del agua pero, tan pronto tomé una bocanada de aire, el cuerpecito desesperado de Maggie se trepó sobre mí y me volvió a sumergir. Sentía la cabeza cada vez más borrosa y el cuerpo más flojo, y comencé a pensar en la cocina de Nana.

Recreé los aromas dulces y picantes que emanaban del horno. Oí los ecos musicales de su risa y vi los rayos de luz bailando en las paredes. La luz se volvía más fuerte y los brazos de Maggie se apartaban a medida que me dejaba llevar por el resplandor que me rodeaba.

Justo cuando iba a abandonar la lucha, sentí unas manos frías que rodearon mi cintura y me empujaron hacia la superficie.

Mateo. Me había encontrado.

Con cada bocanada de aire, el brillo de la luz disminuía. Sentí el lento chapoteo del agua y el movimiento dulce y suave de mi cuerpo que flotaba en la corriente. Me quedé quieta y dejé que la fuerza me llevara hasta la seguridad de la orilla.

Después, todo se volvió negro.

22

Las palabras que faltaban

Abrí los ojos despacio y me quedé quieta. Mi cuerpo no quería moverse. Por mi mente pasaron muchas imágenes: las manos de Nana con olor a naranja y lavanda, peinándome; mamá flotando debajo de una catarata. Me llamaba, pero yo no podía contestar. Maggie, entrelazando su suave dedo meñique con el mío. ¿Estaba muerta? ¿El viento me había llevado al cielo?

—¡Al bate! —llamó una voz de hombre.

El mundo que yo conocía había desaparecido. Parpadeé dos veces y, de pronto, me encontré al lado del *home* con un bate en la mano. En el terreno y en las bases, había hombres con uniformes de béisbol. Una multitud vitoreaba en las gradas detrás de mí.

La primera pelota pasó volando cerca de mi cintura. Hice una mueca de dolor.

—¡*Strike!* —gritó la voz del árbitro.

Un ligero entusiasmo me recorrió la columna. Sabía que podía batear la próxima. Apreté el bate y me acerqué más al *home*.

—Oye —susurró una voz detrás de mí—, si quieres darle a la pelota, tienes que dar un paso hacia adelante y mover el bate. No lo agarres tan duro. Deja que se acomode en tus manos.

Miré, por encima del hombro, al *catcher*. ¿No era del otro equipo? Sacudiendo la cabeza, apoyé el bate en el hombro derecho y doblé las rodillas.

—Relájate. Da un paso y batea —dijo.

La pelota pasó zumbando. Ni siquiera la vi venir. El *catcher* se paró y se inclinó hacia mí.

—La pelota viene a diferentes velocidades. Nunca se lanza de la misma manera. Nunca vas a estar preparada para lo que va a venir —dijo, y se agachó y golpeó el guante con el puño—. El secreto es mantener los ojos todo el tiempo en la pelota.

Asentí.

—Y golpearla con todas las fuerzas —añadió, señalando las luces parpadeantes—. Apunta a las estrellas.

Algo dentro de mí me empujó hacia adelante. Me acerqué al *home* y me concentré en el lanzador. Las primeras estrellas de la noche brillaban sobre él, destacándose contra la última luz del día como sombras blancas. Entrecerré un ojo y dirigí el bate hacia la estrella más brillante que pude encontrar.

La multitud vitoreó con gran estruendo.

Asumí la postura de bateador y entrecerré los ojos con determinación. Esta vez, la pelota vino lenta, pero tomó una curva en el último segundo. El tiempo se ralentizó y la pelota rotó y cambió de dirección. Espera. Espera. Espera. *¡Pun!*

Asombrada, me quedé inmóvil viendo la pelota volar hacia las estrellas.

—¡Corre! —gritó el *catcher*, empujándome hacia primera base.

Arrojé el bate y eché a correr. Al pasar por primera y dejar segunda atrás, la multitud me aclamó. Mis pies golpeaban la tierra y levantaban nubes de polvo. Me dolían los pulmones. Al llegar a tercera, vi que la pelota caía del cielo.

Movilicé mis piernas, obligándolas a seguir pese a que me pedían parar. Estaba a unos pasos de *home*. Lancé mi cuerpo al suelo y me deslicé hacia la base. Justo en el momento en que mis dedos rozaron sus bordes, la pelota se estrelló contra la tierra. Una gran luz me cegaba. La multitud y los jugadores desaparecieron, como el agua que se evapora sobre el cemento caliente.

El polvo me asfixiaba y me cubría los ojos. Me puse de pie y parpadeé dos veces. La luna estaba alta en el cielo y el silencio abrazaba el campo.

—Buen juego —dijo una voz.

Me volteé. El *catcher* estaba frente a mí. Se quitó la careta despacio. Primero vi su sonrisa, luego sus ojos. Eran iguales a los míos.

—¿Papá?

Cien campanadas de iglesia repicaron en mis oídos.

—Te estaba esperando —dijo, asintiendo con la cabeza. Al tomar mi mano y sonreír, unas líneas suaves se formaron alrededor de sus ojos—. ¡Vaya forma de batear!

Parpadeé, mareada y confusa, y me dejé guiar hacia un banco en medio del terreno de béisbol. Nos sentamos bajo las estrellas. Me acomodé en el banco de madera pulida y cerré las manos, tratando de entender lo que no podía ser más que un sueño.

—¿Estoy en el cielo? —dije.

—Estás más cerca de la Tierra que del cielo —dijo, alisándose el cabello—. Es un lugar de visita.

—¿El terreno de béisbol?

—Es diferente para todo el mundo.

Sentí el peso de su mirada.

—¿Te... te gusta estar aquí?

—Preferiría estar contigo —dijo, cruzando los brazos sobre el pecho y recostándose hacia atrás.

Cuando pasé la mano por el borde del banco, me encajé una astilla.

—Yo también —dije, tocando la astilla—. ¿Por qué mamá no quería que te conociera?

—Solo quería protegerte —dijo, rozando con suavidad mis hombros.

—¿De qué? —Me volví para verle la cara—. ¿De ti?

—No quería que sintieras el mismo dolor que ella. Quería que las cosas fueran más fáciles para ti.

—Pero no ha sido nada fácil. ¿Por qué tenía que ocultármelo?

Me acarició el cabello con delicadeza.

—Tal vez, enviarte a Nuevo México fue la manera que encontró de compartir la verdad. Quizás era una historia que ella no te podía contar. Tenías que descubrirla por ti misma.

¿Tendría razón? ¿Sería cierto que mamá me había enviado al pueblo para que conociera la verdad? ¿Sería esa su forma de responder a todas mis preguntas? ¿Sería por eso que le dijo a Nana que fuera despacio y le preguntó si yo la perdonaría? En ese momento, todas las piezas rotas se unieron. El aire de la noche veraniega me daba calor y yo sabía que él tenía razón. Estaba cansada de cargar con toda esa rabia y confusión.

Metí la mano en el bolsillo de mi sudadera y le di la pelota.

—Me alegro de que la dejaras atrás —le dije.

—Bateé el jonrón más importante de mi vida con esta pelota —sonrió, mirando las palabras.

—¿Qué pasó?

—Tu mamá se casó conmigo por eso —dijo, lanzándome la pelota—. Dile que te cuente la historia.

—Pero no me la contará.

—Yo creo que las cosas van a cambiar ahora —dijo, sonriendo—. Dile que conoces las palabras que faltan.

—¿Las conozco?

Se acercó a mí y susurró:

—Porque el amor es magia.

—Amor —repetí la palabra despacio. Ahora parecía tan sencillo. Pensé en lo que había dicho Nana acerca de la magia, que era algo especial y encantador. Que a veces no la puedes ver, pero sí sentir.

—¡Al bate! —tronó una voz por los altavoces.

Papá se volteó hacia *home*.

—Tengo que irme —dijo, y me apartó el cabello de la cara con ternura.

—No te vayas —dije, sintiendo la garganta hinchada—. Por favor.

Levantándose del banco, me extendió una mano. Le di la mano y me lancé en sus brazos. Cuando me soltó, me miró a los ojos.

—Te quiero.

Viéndolo marchar a *home*, sabía que lo volvería a ver. Algún día. Se volvió y me guiñó un ojo. Durante apenas un segundo, vi un estadio y una multitud eufórica. Después, un viento suave me barrió la cara.

Me dejé caer al suelo y miré las miles de estrellas que brillaban en el cielo. Me ardían los ojos. Solo quería cerrarlos durante un momento, un breve momento, para sentirme mejor. Pero me quedé dormida. Soñé un sueño profundo y tranquilo, donde floté entre este mundo y el más allá en absoluto silencio.

23

Una brazada de miedo

—Izzy. ¿Izzy?

Apenas me moví. No quiero despertar. Quiero quedarme aquí.

—¡Izzy!

Cuando abrí los ojos, estaba en la orilla fría y oscura del río. Parpadeé, tratando de ver en la oscuridad. El viento había desaparecido y me volteé para incorporarme.

Mateo estaba a mi lado. Me ayudó a levantarme.

—Me diste un susto de muerte —me dijo, abrazándome.

Me quedé en sus brazos y descansé mi cabeza, mareada, en su hombro. Los eventos de la noche comenzaron a volver a mi mente, poco a poco.

—Te tiraste al agua para salvarme.

—Lo intenté, pero el río te llevaba más y más lejos.

—Arriesgaste tu vida.

Mateo se apartó de mí.

—Llevo toda la vida nadando aquí. El río y yo nos hemos criado juntos. Temía que estuvieras herida, pero tu nana dice que estas aguas nunca te llevarán...

De pronto, me sobresalté y salí del estado de ensueño.

—Nana. ¡Maggie! ¿Dónde está Maggie? ¿Está herida?

—Está con Nana. Pero, Izzy...

Antes de que Mateo dijera otra palabra, corrí río arriba hacia las luces rojas parpadeantes que se veían a lo lejos.

El ruido de las sirenas llenaba el valle, recordándome el distante mundo exterior. Vi cómo los paramédicos subían a Maggie a una camilla y se la llevaban. Nana iba detrás, cuando me vio. Avancé hacia ella y la miré a la cara y vi en sus ojos algo que me asustó: vacío.

—Nana, lo siento mucho.

Me derrumbé sobre ella y me envolvió en sus brazos. Las lágrimas, calientes y punzantes, bañaban mi cara. Una detrás de otra. Nana se apartó y me limpió las mejillas con la mano.

La luz pálida de la luna brillaba en la cara de Nana, dándole una apariencia fantasmal.

—¿Cómo está Maggie? —dije, mientras mis pies se hundían en la tierra lodosa.

—Los paramédicos la han estabilizado, gracias a Dios. ¿Tú estás bien? —dijo Nana.

—No estoy herida —contesté—. Pero, ¿por qué sabía que las aguas no me llevarían?

Nana miró hacia la luna llena.

—Socorro me contó una visión que tuvo. Dijo que luchabas contra la fuerza de las aguas, pero que encontrarías tu camino de vuelta al pueblo, sana y salva.

—¿Dijo algo sobre Maggie? —pregunté y Nana negó con la cabeza—. ¿No puede curarla?

—La ayudé a soltar el agua que había tragado. —Respiró fuerte—. Hice lo que pude.

—¡Todo es mi culpa! Nunca debí intentar... Soy una tonta.

—Izzy, tengo que ir al hospital.

—Pero Nana. No me quiero quedar sola. Y tengo muchas cosas que contarle. Yo...

—No, Izzy. No tengo tiempo para hablar de eso ahora. No puedes venir conmigo. Vete a casa. Te llamaré pronto —dijo, y miró a Mateo—. Por favor, cuida de ella.

Mateo asintió.

Observé a Nana abrirse camino río arriba hacia la ambulancia. Se volteó y me miró. Sus ojos tenían la misma mirada lejana y triste que los de mamá el día que me llevó al aeropuerto y me dijo adiós.

—Tu mamá llamó esta noche. Sabe que algo anda mal —dijo, antes de desaparecer.

Miré el cielo nocturno. ¿Estaría él allá arriba? ¿Me vería? Volví a repasar, en cámara lenta, los acontecimientos de la noche, temblando en mi interior.

—Todo ha sido mi culpa. Fui demasiado impaciente y Maggie se lastimó por mi culpa —le dije a Mateo en medio de las lágrimas, que el viento secaba mientras caían.

—¿Dónde está Frida?

—La encontré justo después de que saqué a Maggie del agua. Nunca imaginé que un gato pudiera nadar así.

—¿Quieres decir una perra? ¿Dónde está ahora?

Mateo señaló hacia la derecha. Vi a Frida, enroscada bajo la luz de la luna, con la cabecita apoyada en las patas, esperando a ver lo próximo que haríamos. Me acerqué y la tomé en mis brazos.

—Lo siento, chica.

Empujaba su cabeza contra mi mano, mientras yo le acariciaba las orejas.

Con los ojos fijos en Frida, le pregunté a Mateo:

—¿Tú salvaste a Maggie?

—En cuanto me metí en el agua, te perdí la pista, pero vi a Maggie salir a la superficie. Cuando la agarré, había tragado mucha agua. Fue esa mochila suya la que la salvó. Se enganchó en una roca y la detuvo. Eso me dio tiempo a alcanzarla —dijo, metiendo las manos en los bolsillos—. Grité lo más fuerte que pude y, en un abrir y cerrar de ojos, llegó tu nana y ayudó a Maggie a respirar.

—Y, ¿qué pasó después?

—Me pidió que fuera a buscarte. Me sentí tan aliviado cuando te vi gateando hacia la orilla.

—Yo no salí gateando del agua.

—Sí. Yo te vi.

—Fue mi papá. Él me sacó del agua. Estaba allí, Mateo. Me habló y todo. Jugamos béisbol...

La cara de Mateo se descompuso y habló en voz baja.

—Izzy, lo habrás soñado.

—¡No! Estuvo aquí conmigo. Me dijo lo que había escrito en la pelota —dije, poniendo a Frida en el suelo y metiendo la mano en el bolsillo—. ¡No la tengo!

—¿Cómo? ¿Qué es lo que no tienes?

—La pelota de béisbol. La tenía aquí —dije, volviendo a meter la mano en el bolsillo como si esa vez sí fuera a aparecer.

—Se habrá caído al río, Izzy —dijo Mateo, tomándome del brazo—. La encontraremos por la mañana.

—¡No! Es especial. No entiendes.

Corrí orilla arriba y orilla abajo, buscándola.

—Papá, ayúdame, por favor —murmuré.

El agua corría como si nada hubiera sucedido.

Mateo me siguió, buscando bajo arbustos y rocas, hasta que el último rayo de luz de luna desapareció detrás de una nube larga. Iba a ser imposible encontrarla en la oscuridad absoluta.

Pero, antes de que pudiera volver a suspirar, Frida vino hacia mí meneando la cola y trayendo la pelota en la boca, como si hubiéramos estado jugando a atraparla. No sé cómo pudo agarrarla con sus mandíbulas tan pequeñas.

Me arrodillé para sacarle la pelota de la boca.

—Buena chica —susurré, y ella se paró en las patas traseras y me lamió la mejilla.

—¡La encontró! —le dije a Mateo, mientras abrazaba a Frida—. Frida la encontró.

En cuestión de segundos, Mateo estaba frente a mí y le acariciaba la espalda a Frida. Con la boca entreabierta, parecía una perrita sonriente.

—Buen trabajo, chica —dije.

—Y ahora, ¿qué?

La mirada de Mateo se encontró con la mía.

—Tengo que ver a Socorro para contarle lo que pasó.

Me di vuelta y eché a andar, con Frida, mi pelota de béisbol y una brazada de miedo.

24

EL CUENTO DE MAGGIE

Un resplandor salía de la puerta delantera de la casa de Socorro, como un faro distante que me guiaba a casa. De alguna manera, supe que me estaba esperando.

Al acercarnos, me volví hacia Mateo:

—¿Podrías esperarme afuera?

—Claro —dijo, agarrando a Frida.

Antes de que pudiera llamar, la puerta se abrió y Socorro extendió los brazos para abrazarme.

—Has tenido una experiencia muy dura, ¿verdad?

—Maggie se ha lastimado y...

—Lo sé, Izzy.

—Vendrá pronto a casa, ¿verdad?

—No lo sé.

El corazón se me subió a la garganta.

—Pero, ¿por qué? Pensé que era vidente.

—Puedo ver cosas que van a pasar, pero no siempre puedo controlar lo que veo —dijo, y me condujo a un pequeño sofá en el salón—. Por favor, siéntate y te preparo un té.

Me cubrí la cara con las manos. Quería que Socorro arreglara todo. Regresó con una bandeja de té y la puso delante de mí, sobre la mesa de pino. Me sirvió una taza y observé el vapor que subía en espiral.

—¿Por qué tuve que ser tan estúpida? Por favor, dígame que se pondrá bien.

Socorro se levantó y cruzó la habitación hasta llegar a la ventana.

—¿Recuerdas la historia que te conté? ¿Quieres oír el final ahora?

Asentí.

—Poco después de que la chica le mostrara la plata a su familia, todo el pueblo se enteró de la existencia del tesoro. Entonces, una noche, un ladrón se lo robó mientras todos dormían. Todo el mundo se entristeció por la pérdida. Pensaban que ya no tenían nada y que nunca podrían reconstruir la casa.

—Pero, ¿qué quiere decir eso? —pregunté, tomando un sorbo de té.

Los ojos de Socorro se suavizaron y puso la taza de té sobre la mesa.

—Tienes que descubrir la respuesta tú sola.

—¿Reconstruyeron la casa?

—Claro, con la plata hubiera sido más fácil, pero, al cabo de muchos, muchos años de trabajo duro, consiguieron reconstruirla.

Tía y el señor Castillo se paseaban de un lado a otro de la terraza del fondo, cuando Mateo y yo regresamos a casa de Nana.

—¡Gracias a Dios! —dijo Tía, corriendo hacia nosotros con su larga bata rosada y sus rulos—. Cuando Nana salió, estaba frenética.

Me acerqué a su cuello. Olía a toallas recién lavadas. Tenía manchas de rímel negro por toda la cara y se santiguaba.

—Llevaron a Maggie al hospital —dijo Mateo.

Los ojos del señor Castillo estaban más caídos que de costumbre. Nos miró preocupado.

—Y ustedes dos, ¿están bien?

Mateo asintió y yo me limpié la cara con las manos.

—Nana nos dijo que esperáramos aquí por si volvía a llamar tu mamá —dijo Tía, apretándome suavemente el hombro.

—¿Ha llamado? —pregunté.

—Todavía no, mija —dijo Tía, mirando al señor Castillo y luego a mí—, pero tu nana dijo que sonaba muy preocupada.

El señor Castillo le dio unas palmadas a Mateo en la espalda.

—Ustedes deberían descansar un poco. Mañana, todo será mejor.

Esa noche, todos durmieron en el lado de la casa de Nana: Tía y el señor Castillo en uno de los cuartos de invitados y Mateo en el sofá.

Caminando hacia Estrella, fui pasando los dedos sobre los santos de las paredes y susurrando oraciones: una oración de perdón, una oración para Maggie. Había una pintura de la Sagrada Familia justo al lado de la puerta de mi cuarto. Me detuve frente al cuadro y miré fijamente las caras de María, José y Jesús.

—Por favor, bendigan a Maggie. Denme una señal de que vendrá pronto a casa —susurré y me santigüé.

Los tres rostros solo me devolvieron la mirada, tan solemnes como antes. Empujé la pesada puerta de madera de mi habitación. Parpadeé y entré, para ver mejor: mis fichas estaban atadas con lana, colgadas con delicadeza de la lámpara de techo en el centro de la habitación. Parecían nubes que se movían lentamente por el cielo. ¿Maggie hizo todo eso?

—Yo la ayudé —dijo Tía desde la puerta.

—¿Gastó toda su lana en mí? Y ahora, ¿cómo hará su escalera al cielo?

—Estaba muy disgustaba por haber roto tu cristal de la verdad. Tardamos horas en hilvanar las fichas y colgarlas. Dijo que tenían que estar conectadas para que pudieras escribir un cuento. Te quiere como a una hermana, Izzy —dijo Tía con dulzura.

Asentí y susurré:

—Yo también la quiero.

Cuando Tía se marchó, me subí a la cama y pasé la mano por las fichas. Cada una tenía una ristra de palabras que necesitaba encontrar su lugar. Pero una sobresalía entre todas: la de Maggie. La ficha donde había escrito *"prinsesa voladora"*.

Agarré un montón de fichas en blanco y escribí: "La historia de Maggie, por Izzy" y, cuando empecé a escribir Roybal, mi mano se deslizó y trazó la letra B. Escribí "Bella".

Me gustó ver Bella escrito en el papel y, al lado, escribí "Reed Roybal". Mirando la ficha, me di cuenta de que mamá y papá me habían dado, cada uno, dos partes de mi nombre.

Con el bolígrafo en la mano, puse la pelota de béisbol en la mesa y, con muchísimo cuidado, escribí las palabras que faltaban.

Porque el amor es magia.

Ahora la pelota estaba completa. De pronto, sentí un hormigueo cálido que me subía por la espalda y me bajaba por el brazo derecho. El bolígrafo que tenía en la mano comenzó a moverse y a contar la historia de la princesa Maggie. Escribía cada detalle según se me iba ocurriendo y, antes de darme cuenta, tenía una pila de fichas llenas de palabras.

Desde la pared, el ángel de una sola ala parecía guiñarme un ojo.

—Escribí mi primer cuento —susurré—. Para Maggie.

Una brisa entró por la ventana, rozándome la cara. Agarré un lápiz de color azul zafiro del cajón del escritorio y me subí a la cama.

—Si de verdad eres un ángel de la guarda, ¿podrías cuidar de Maggie?

Dibujé con el lápiz en la pared de escayola un ala abierta que se extendía hacia el cielo desde el lado derecho del ángel.

—Ya está. Eso te ayudará a volar un poco más de prisa.

25

Una señal del cielo

Unas horas más tarde, el sol se elevó por las majestuosas Sandías y bañó la casa de Nana con una luz rosácea. Cuando Nana llegó a casa, a la hora del almuerzo, la tristeza pesaba sobre sus hombros y la hacía lucir aún más bajita de lo habitual.

—¿Cómo está Maggie? —pregunté en un susurro.

Nana se sentó al lado del altar de la Virgen María y encendió dos velitas. La luz rosada de la mañana le bañó la cara cuando se volvió hacia mí y, en ese momento, parecía feliz. Pero enseguida la luz de la vela parpadeó y proyectó sombras en su rostro pétreo. Entonces, vi la verdad.

—Los médicos dicen que no tiene nada, pero no se despierta. Lo único que podemos hacer es esperar —dijo, pasándose la mano por la frente.

—Nana, lo siento muchísimo —supliqué, arrodillándome frente a ella—. No quería que pasara nada de esto. Solo estaba cansada de esperar y...

Nana levantó un dedo para pedirme que hiciera silencio.

—Apa me encomendó el cuidado de Maggie y la he defraudado.

—No. Es culpa mía. Pensé que, si podía hablar con mi papá, todo se aclararía. Por favor, perdóneme.

—Ya te perdoné. Veo que tus intenciones son buenas. Pero, a veces tenemos que dejar de pensar en nosotros y pensar en los demás.

—Lo sé. Por eso tengo que ver a Maggie.

Nada en este mundo me podía haber preparado para ver a Maggie convertida en la sombra lúgubre de la niña que había sido. El pálido perfil de su rostro se hundía en las mejillas huecas y frágiles. La pequeña habitación blanca olía como cuando en la escuela los bedeles friegan los pasillos.

—Hola, Maggie —susurré—. Te traje un regalo.

Deseaba tanto oír su vocecita, ver sus trenzas rebotando sobre sus hombros, sentir sus manos suaves en mi cintura.

Colgué su mochila de un estante cerca de la cama, para que la viera al despertar. Recostando mi cara a un lado de la cama, puse una mano en su brazo.

—Lo siento, Maggie. Nunca debí ser tan egoísta. Solo pensaba en mí. Pero te escribí un cuento y tú eres la princesa.

Con las fichas en la mano, comencé a leer:

Había una vez una niña invisible que llegó de ninguna parte y se hizo amiga de una princesa en un bosque encantado. La princesa era mágica porque era una de las pocas personas que podían ver a la niña invisible. Escucharon cuentos de fantasmas y buscaron tesoros y pronto se convirtieron en hermanas. Pero, un día, la princesita dejó el bosque encantado. Su hermana la buscó día y noche y no la encontró.

—¿Han visto a mi hermana? —le preguntó a las estrellas.

Le dijeron que no.

Después, le preguntó a la luna:

—¿Has visto a mi hermana?

Pero la luna no respondió. La niña se sentó debajo de un árbol y lloró. Después, cuando pasó el viento, le preguntó:

—¿Has visto a mi hermana?

—Ha subido por una escalera especial al cielo —respondió el viento.

—¿*Cómo llegó hasta allá?* —*preguntó la niña.*

—*Se fue volando.*

Al día siguiente, la niña invisible esperó a que la princesa bajara volando del cielo. Pero, cada día, el sol se ponía y la luna aparecía y la princesa no regresaba a casa. La niña invisible decidió que hacía falta magia para hacer que su hermana volviera, pero ella no tenía magia. Lo único que tenía era amor. Esa noche, trepó al árbol más alto y envió su amor en la cola del viento más fuerte.

Al amanecer del día siguiente, la princesa bajó volando del cielo. La niña invisible la abrazó para darle la bienvenida a casa. Y la niña invisible dejó de ser invisible.

Acaricié los deditos de Maggie y sonreí.

Cuando Nana y yo llegamos a casa ese día, había alguien esperando en el jardín de la terraza del fondo. Me acerqué a la ventana para ver mejor y mi corazón dio un vuelco. ¿Era ella de verdad?

—¡Mamá! —dije, corriendo a su encuentro.

Se acercó a mí con los brazos abiertos.

—Izzy, ¡tuve mucho miedo!

Las lágrimas brotaron de mis ojos otra vez. Me acurruqué en sus brazos y estuvimos abrazadas durante mucho tiempo. Después, mamá dio un paso atrás y miró por encima de mi hombro.

—Hola, mamá.

—Qué bueno verte, mija —dijo Nana. Se abrazaron y lloraron. Mamá se acomodó el cabello detrás de las orejas y se volvió hacia mí.

—Estoy tan agradecida de que no te haya pasado nada. Creo que no podría soportarlo...

Mamá cruzó los brazos y nos acomodamos en unas sillas en la terraza.

—Izzy, han cambiado tantas cosas. Yo estaba equivocada. No lo veía... —dijo, respirando hondo—. De alguna manera, Costa Rica me acercó a mis raíces.

Observé su rostro, sus ojos, su boca. Papá la había querido. Ella también había perdido algo.

—La forma en que la luna se veía en la selva, tan cerquita —continuó diciendo—. Era mágico. Como en el pueblo.

Nana se inclinó sobre la mesa y acarició la mano de mamá.

—Mientras estuve allá, me inundaron los recuerdos. Ya no podía esconderme más de ellos. —Hizo una pausa, volviendo el rostro hacia el sol—. Me acordaba de las noches en que andábamos juntas por el valle. ¿Recuerdas, mamá?

—Sí, lo recuerdo —dijo Nana con los ojos repletos de lágrimas.

Mamá se recostó y respiró muy hondo, como si oliera empanadas recién horneadas.

—He extrañado este lugar —dijo, y me tomó la mano—. Ven. Vamos a dar un paseo.

Antes de salir, agarré mi bolsa de lona y metí la pelota.

Paseamos por los caminos del pueblo hasta la orilla del río. Escuché el torrente de agua. El sol brillaba en el centro del cielo, a punto de descender sobre el oeste. Mamá me llevó a una zona de tierra blanda cerca de la orilla, donde nos sentamos bajo un pequeño árbol.

—Él te quería tanto, Izzy. Estaría muy orgulloso de ti. —Las lágrimas rodaron suavemente por su cara.

Arranqué un diente de león y le di vueltas entre los dedos mientras asimilaba las palabras de mamá.

—Eso es lo que me dijo —dije, mirando hacia abajo, temerosa de que no me creyera.

—¿Lo que te dijo quién?

—Aquella noche en el río. Me desperté en la orilla, pero... primero fui... —dije, alzando la mirada y comprobando que todavía me escuchaba—. Vi a papá.

—Yo también lo visito en mis sueños —dijo ella, poniendo la cabeza sobre mi hombro con un suspiro.

—No, no fue un sueño. Él estaba allí —dije, apartándome.

—¿Dónde?

—Es un lugar de visita —dije, y acerqué las rodillas a mi pecho.

Me acarició el pelo y apretó los labios, como si tratara de decidir si debía creerme.

—Existe un mito en el pueblo sobre un lugar así —dijo con voz temblorosa.

—Me habló de las palabras escritas en la pelota de béisbol.

Vi un destello de comprensión en su rostro. Las palabras se derramaron de mi boca cuando metí la mano en la bolsa para sacar la pelota.

—La tomé de la caja. Lo siento.

Mamá examinó las palabras escritas en la pelota y contuvo un sollozo.

—Porque el amor es magia. ¿Cómo podías saberlo?

—Me dijo que te preguntara —susurré, conteniendo las lágrimas—, que tú me lo contarías.

Los ojos desconcertados de mamá se movían de prisa recorriendo mi cara. Respiró profundo y miró a lo lejos, como si esperara encontrar las palabras justas en algún lugar del horizonte.

—Me pidió matrimonio justo antes de un juego de campeonato. Yo me reí y le dije que éramos demasiado jóvenes. Pero, en lo más profundo de mi corazón, quería decir que sí.

—Y, entonces, ¿qué pasó?

—Me lo pidió otra vez y volví a decir que no. Le dije que me hacía falta una señal. Una señal del cielo —dijo, poniendo los ojos en blanco—. No sé por qué. Iba a decir que sí, pero me divertía atormentándolo.

Me incliné hacia adelante. No quería perderme una sola palabra.

—Dijo que, si bateaba un jonrón en su primer turno al bate esa noche, eso sería una señal. Le dije que estaba loco. ¿Cómo podría controlar algo así? En realidad, me preocupaba que no pudiera hacerlo y, entonces, tuviera que decir que no. "¿Cómo sabes que podrás?", le pregunté. Él se rio con su sonrisa perfecta y dijo: "Porque el amor es magia". —Respiró profundo y sonrió—. Y lo hizo.

—Qué triste te quedarías cuando murió. Lo siento, mamá.

A lo lejos, los tonos dorados y rosados de la puesta de sol cubrían las montañas, proyectando sombras de sandía.

—¿Cómo se borraron las palabras?

—No sé —dijo, encogiéndose de hombros—. No volvió a jugar con ella después de aquel jonrón. Tal vez se borraron con el tiempo. Lo importante es que ya sabes la verdad y las palabras están otra vez donde deben estar.

Nos quedamos en silencio, escuchando el gorgoteo del río y el viento suave que movía los árboles.

Me acarició la mano y dijo:

—¿Tienes alguna pregunta más?

—¿Me llamaba Bella? —susurré.

—A tu papá le encantaba ese nombre —dijo, apartando el pelo de su cara y secándose las lágrimas—. Te llamamos así desde que quedé embarazada. Pero, cuando él se fue, no quería repetir ese nombre todos los días. Necesitaba olvidarlo. Aunque, si quieres usarlo, es tu nombre.

—Sí, quiero —dije, riéndome—. Perdona, mamá, pero... ¿Isadora? Suena tan antiguo.

Ella también se rio.

—Puedes seguir llamándome Izzy porque es más corto, pero Isabella es un buen nombre para una escritora, ¿no crees?

—Sí, suena muy literario —asintió mamá.

—Mi nombre es lo único que papá me dio —dije, arrancando la hierba silvestre.

—No —dijo ella y me abrazó—. Te dio el corazón, su forma de ver el mundo y toda su magia.

Me incliné hacia el sol poniente.

—Y ahora veo que no fue un accidente que yo haya conseguido el dinero para continuar mi investigación en Costa Rica. Tú tenías que venir este verano. Supongo que, en mi corazón, sabía que encontrarías la verdad. Solo que pensé que yo no podía ser quien te la contara, y lo siento mucho.

—Lo entiendo, mamá.

Nos quedamos en silencio durante un rato.

—No es culpa tuya, Izzy —dijo, al fin—. Lo que le pasó a Maggie no tuvo nada que ver contigo. Igual que la muerte de tu papá no fue culpa mía. Durante mucho tiempo, cargué con la culpa. —Puso su mano encima de la mía—. ¿Pero, sabes qué aprendí? Que a veces no podemos explicarnos las cosas que pasan en la vida. Las cosas pasan cuando deben suceder, en el momento y lugar justos.

Rocé la hierba con la punta de los dedos.

—¿Estás contenta de haber venido, después de todo? —me preguntó, apretándome la mano.

—Sí. Tenías razón cuando dijiste que me sorprendería. Y que este es un lugar extraño y hermoso a la vez.

Una brisa suave dio vueltas alrededor de nosotras. Sonreí.

—Extrañaba esa vista —dijo mamá, suspirando mientras contemplaba el valle—. Es bueno estar por fin en casa. Para siempre.

El sol distante pintó el cielo de un rosado brillante, como una manta calentita que se extiende antes de que la noche acabe con la luz. Me sentí pequeña bajo el cielo, pero también segura en los brazos de mamá.

—¿Estás lista para volver? —dijo, poniéndose de pie.

—Aún no. Quisiera estar sola un momento.

Mamá se fue hacia el pueblo, dejándome sola. Quedaba únicamente una línea fina de cielo sonrosado.

Caminando de regreso, iba perdida en mis propios pensamientos, recapitulando lo mucho que había cambiado mi vida ese verano.

Mateo salió de la nada y se apoyó en un árbol. Un mechón de pelo oscuro le tapaba un ojo.

—Hola, Izzy. Te traje unas empanadas —dijo, dándome una bolsa de papel marrón atada con una cinta azul—. Siento no haberte creído cuando me contaste lo de tu papá.

Estrujé la bolsa de papel en la palma de la mano.

—Debe haberte parecido una locura. ¿Quieres una? —dije, alcanzándole la bolsa.

—Ya me comí unas cuantas. —Rio con nerviosismo—. ¿Has tenido alguna noticia de Maggie?

—Todavía no. Pero quiero hacer algo muy especial para ella... cuando vuelva a casa.

—¿Como qué?

—Tengo una idea, pero no sé si funcionará.

—¿Qué? Cuéntame.

—Creo que se me ha ocurrido una forma de que haga su escalera al cielo para devolverle la lana a su mamá.

—Déjame adivinar: quieres que me salgan alas, ¿a que sí? —bromeó.

—Pues, aunque no lo creas, es algo parecido.

—Era una broma —dijo Mateo.

Me acerqué a él y le conté mi plan.

—¿Qué te parece? ¿Crees que funcionará?

Los ojos oscuros y brillantes de Mateo examinaron mi cara.

—Es perfecto —murmuró.

¿Pero, por qué me miraba así? Mi estómago dio un pequeño vuelco. Cuando me eché hacia atrás, tropecé con una rama y Mateo me agarró el brazo.

Fue entonces cuando pasó.

Se inclinó y me besó. Y, cuando lo hizo, cerré los ojos y sentí que el mundo daba vueltas a mis pies.

26

UN SOL DE TORTILLA

A la mañana siguiente, la voz de Nana me despertó.

—¡Un milagro! —dijo, haciéndome saltar de la cama e ir corriendo al salón, con Frida dando brincos frente a mí.

—Nana, ¿qué hace aquí? Pensé que había pasado la noche en el hospital.

Me abrazó por la cintura y me hizo bailar por la habitación, riendo y llorando al mismo tiempo.

—Nuestras oraciones han sido escuchadas. ¡Vuelve a casa!

—¿Qué pasa aquí? —dijo mamá entrando en la habitación.

—¡Maggie vuelve a casa, mamá!

Mi corazón se echó a volar y Nana nos agarró de las manos, haciendo un círculo.

—Esta mañana temprano, mientras me preparaba para volver a casa y descansar, abrió los ojos y me habló —dijo, riéndose—. ¡Dijo que tenía hambre!

—¿Cuándo puedo verla?

—Los médicos quieren hacerle algunas pruebas hoy, así que no puede recibir visitas. Pero, si todo sale bien, vendrá mañana.

Frida brincó hacia la puerta como si hubiera entendido que Maggie volvía a casa.

—Tú no te vas a ninguna parte —le dije, riendo—. Vendrá a casa muy pronto.

Cuando me agaché y la cargué sobre mi hombro, noté que faltaba algo: el último trozo de papel crepé negro había desaparecido.

Veinticuatro horas pueden parecer una eternidad cuando estás esperando algo importante. Tuve que esperar todo ese tiempo para ver a Maggie. Intenté entretenerme en la cocina con mamá. Nos pusimos a preparar la comida favorita de Maggie: fresas bañadas en azúcar, burritos de frijoles, enchiladas de chile rojo y sopaipillas rellenas de tomate y queso.

Mamá me contaba cosas acerca de papá.

—Tu papá tenía un gran sentido del humor. Siempre tenía que ponerse el zapato izquierdo primero, le encantaban los animales, tenía una sonrisa torcida, daba su vida por una tortilla rellena de helado de fresa y creía que podía salvar el mundo, persona por persona.

Yo devoraba los detalles de la vida de mi papá como si fueran trocitos de tortilla caliente bañados en miel. Cuando oí que el auto pisaba la gravilla del camino de entrada, corrí como un rayo de la cocina al salón.

—¡Ya está aquí!

Desde la puerta de tela metálica, vi a Maggie cruzar el patio muy despacio. Frida la seguía, meneando la cola con toda su fuerza.

—¡Maggie! —grité y casi me caigo sobre ella.

Ella se echó hacia atrás, riéndose.

—¿Tienes hambre? —le preguntó Nana mientras nos saludaba.

—Muerta de hambre —dijo Maggie.

—¿Qué quieres? ¿Helado, galletas, pan dulce? Lo que quieras —dijo Nana.

—Quiero una de las tortillas de Izzy —dijo, mirándome con los ojos entrecerrados—. La quiero redonda como el sol.

—Sabes que estás pidiendo lo imposible, ¿verdad? —dije con una sonrisa.

Maggie besó a Frida en la cabeza.

—Frida también quiere una, ¿verdad? —dijo, y movió la cabeza de Frida hacia arriba y hacia abajo.

Nana me siguió a la cocina mientras Maggie y mamá esperaban en el salón.

Medí los ingredientes bajo la supervisión de Nana, quien me tomó las manos y me ayudó a apretar la masa.

—Así, así, eso es, mija —dijo, pasándome la botellita de color ámbar—. Hasta ahora, solo has estado practicando para aprender lo básico. Pero ya estás lista.

—¿Cómo funciona el ingrediente secreto?

—Ese —dijo, señalando al techo— es el secreto.

Abracé su cuerpo diminuto y sonreí. Algunos secretos parecen hechos para no ser revelados.

—La quiero, Nana.

Esparcí un poco del contenido de la botellita ámbar como me había enseñado y comencé a redondear los bordes. Lentamente, la tortilla empezó a tomar forma. Se hizo más y más redonda hasta que terminé. Di un paso atrás y la miré incrédula. Lo había conseguido: un círculo perfecto.

—No la puedo levantar.

—Tienes que levantarla.

—¿Y si se deshace?

—Entonces, empiezas de nuevo.

Levanté los bordes con cuidado, esperando que no se pegaran a la tabla. Puse la tortilla en el comal como si fuera un objeto de porcelana. La masa empezó a formar burbujas y a dorarse.

Conté "1, 2, 3, 4... vuelta", "1, 2, 3, 4... vuelta". Después, levanté la tortilla para que Nana la viera.

—¡Lo conseguí! ¡Lo conseguí!

Allí, en su cocina mágica, nos reímos como no lo habíamos hecho en semanas.

—Mira —dijo con orgullo—. Un sol de tortilla perfecto.

Puse las tortillas en una cesta y me detuve frente a Maggie.

—La primera es para ti. Un sol de tortilla para una princesa —dije, arrodillada como en los cuentos de hadas.

Maggie rompió un trozo de la tortilla y se lo dio a Frida, que lo devoró rápidamente.

Esa noche, Maggie se metió debajo de la cama y salió con algo escondido dentro de la camiseta.

—¿Qué es? —pregunté.

Levantó su camiseta y sacó un trozo de cristal amarillo redondo, cubierto de grietas, pero entero.

—Mi cristal de la verdad. ¿Cómo lo arreglaste?

—Cuando te fuiste ese día, tu nana recogió todos los pedacitos. Luego, los pegamos con un pegamento especial. Fue como hacer un rompecabezas. ¿Quieres volver a colgarlo?

Observé el cristal reconstruido. Ninguna de las piezas encajaba exactamente con las otras, pero era perfecto.

Me arrodillé y abracé con fuerza a Maggie. Agarré el cristal de la verdad por su larga cinta amarilla y lo colgué frente a la ventana. El sol de la mañana proyectaba cien arcoíris a través de los prismas de cristal.

Una constelación de luces bailarinas se extendió por el piso.

—Maggie, ¿ves eso?

Sorprendida, apunté al piso de azulejos de Saltillo.

—¿El arcoíris?

Salté por la habitación, persiguiendo los rayos de luces de colores.

—Se parece al pueblo.

Maggie se arrodilló para ver mejor.

—¿Ves las líneas rosadas? —dije, señalando la imagen—. Es la iglesia. ¿Ves la cruz? Y mira la parte azul. Es el río. Y el centro del pueblo, con todas las casas de adobe alrededor, es un cuadrado perfecto.

—¿Estás loca, Izzy? —dijo Maggie, agitando una mano delante de mi cara—. Yo no veo más que un montón de diminutos arcoíris.

Agarré un lápiz y dibujé las líneas en los azulejos. Después, me levanté y quité el cristal de la ventana. En el piso se veía un bosquejo del pueblo.

Maggie se llevó la mano pequeñita a la boca y soltó una risita.

—Eso es hacer trampa. Tú lo dibujaste.

—¿Ahora lo ves? —susurré—. ¡Es nuestro hogar!

27

Un paseo por los cielos

La terraza del fondo de Nana se llenó de invitados y gente que venía a saludar. Mamá hablaba con viejos amigos y reía, poniéndose al día de todo lo que se había perdido. De vez en cuando, sus ojos se abrían mucho y decía "¡No me digas!", como si fuera la cosa más asombrosa que hubiera escuchado jamás.

Me quedé sola debajo del álamo en el centro del patio, mirando la fiesta desde la distancia. Alguien me tocó el hombro y, cuando me volteé, vi a Socorro frente a mí con un largo vestido amarillo. De sus orejas colgaban grandes aretes color turquesa.

—Hola, Socorro.

—¿Estás disfrutando de la fiesta?

Asentí. Nos quedamos en silencio, mirando a la gente del pueblo.

—Ahora sé lo que significa el cuento.

Socorro se alisó el vestido. Sus ojos color verde salvia brillaban con el sol de la tarde.

—Los miembros de la familia del cuento solo pensaban en lo que no tenían, en lugar de apreciar lo que tenían —dije—. No lo habían perdido todo. Aún les quedaba parte de la casa y el suelo. Y no pensaron que, tal vez, podían reconstruir la casa sin la plata, aunque resultara más difícil.

Socorro estudió mi cara.

—A veces deseamos lo que nos dice el mundo que nos falta y no vemos lo que tenemos delante de nosotros.

Miré a Maggie. Estaba sentada en el césped, haciendo pompas de jabón para Frida.

—Quiero darle las gracias.

—¿Por qué?

—Dejé que mi historia se cociera lentamente, como me dijo, y escribí un cuento. De principio a fin.

Dos pompas flotaron hacia mí, suspendidas en la brisa.

Socorro me dio un abrazo y dijo:

—De nada. Ahora ve a terminar tu sorpresa para Maggie. Tal vez tú también encuentres una.

~

Después de terminar el almuerzo, Mateo y yo llevamos a Maggie a la meseta que estaba más arriba del pueblo.

—¿Adónde vamos? —preguntaba cada dos minutos, mientras caminábamos entre los árboles.

—Es una sorpresa. Ahora cierra los ojos. Estamos a punto de llegar —dije.

Cuando llegamos a la explanada desierta, al otro lado del río, le dije:

—Ya los puedes abrir.

Maggie abrió sus ojos azules.

—¿Vamos a montarlo? —gritó, y sus ojos se abrieron de sorpresa.

—Hoy será nuestra carroza —dijo Mateo con una sonrisa.

Unas llamas rojas, como las lenguas de cien dragones, alimentaban un globo aerostático de color azul. Grandes nubes ondulantes decoraban la tela y se mezclaban con el cielo veraniego. Maggie saltaba en un solo pie mientras las llamas llenaban el globo con aire caliente.

—Mira, Izzy. ¡Vamos a flotar cerca del cielo!

Apreté su manita y sonreí. Nos acomodamos en la cesta con el señor Castillo y, minutos después, el globo se puso en marcha. Con una ráfaga de fuego y viento, nos elevamos hacia el cielo de julio.

—Siento cosquillas en la barriga —dijo Maggie, riendo.

El suelo se veía cada vez más lejos y el globo subía más y más alto. Volábamos encima de la tierra, como una nube abultada que se mueve en cámara lenta por el cielo.

—Oye, Maggie. Tenemos un regalo para ti. En realidad, es la razón de este paseo en globo.

Saqué la escalera de lana de mi bolsa de lona. Maggie la arrancó de mis manos. Levantó la cabeza y miró a Mateo.

—¡Es una escalera! ¿La hiciste para mí?

—La idea fue de Izzy.

Maggie intentó llegar hasta mi oído para contarme algo. Me incliné hacia ella.

—¿Crees que podrá agarrarla? —me susurró.

Asentí y sonreí.

Ella también sonrió y miró por encima del borde de la cesta. Cerrando los ojos, lanzó la escalera al viento.

—Ahora mamá tendrá de nuevo su lana.

La lana voló con el viento, flotando hasta que se perdió de vista.

Con la brisa llegaban unos susurros suaves y lentos que, a medida que subíamos, se escuchaban mejor.

—*Tesoro*.

Me volví hacia el viento e imaginé a papá volando por el cielo en ese globo, disfrutando del viento que daba en su cara y del murmullo de la brisa. Éramos iguales en ese aspecto. Justo como yo había imaginado.

Seguíamos subiendo más y más alto y las nubes parecían tan cercanas que daba la impresión de que se podían tocar. Maggie extendió la mano.

—¿Qué haces? —pregunté.

—Quiero un trozo de nube.

—No puedes atrapar las nubes, Maggie —dijo Mateo, riéndose.

—Claro que puedes. Dame la mano —dije.

Maggie puso su mano en la mía y la extendí hacia la nube más esponjosa del cielo. Por un momento, parecía que las nubes se habían quedado quietas.

—Ahora, cierra los ojos —dije—. Imagina esa nube justo en la palma de tu mano. ¿Ya está ahí?

Ella asintió.

—Bien —dije, abriendo su mochila—. Ahora ponla aquí, para que te la puedas llevar a casa. Recuerda, tal vez no puedas verla, pero podrás sentirla. Como la magia.

Cuando contemplaba el pueblo debajo de nosotros, tuve que parpadear dos veces para asegurarme de lo que veía, hasta que fue tan claro que grité:

—Mateo, ¿ves eso? —dije, señalando hacia el norte del pueblo—. Es la B del mapa. ¿La ves? Esos arbustos forman una B perfecta. ¿Recuerdas que el mapa decía algo de volar con fuego?

Mateo miró hacia abajo. Metió la mano en el bolsillo y sacó el mapa. Leyó las indicaciones:

Deberás volar con fuego, si deseas ver el tesoro luego.

—Izzy, ¡tienes razón! No lo puedo creer. Solo nos hacía falta una nueva perspectiva para verlo. ¿De verdad crees que hay un tesoro allí abajo?

Miré hacia el pueblo, mi hogar, y sonreí.

—Estoy segura.

AGRADECIMIENTOS

Doy las gracias, con mucho amor, a mi mamá, Anna, por darme mis primeras palabras, raíces para mantenerme anclada a la tierra y alas para volar: tú viste la luz antes que yo; a mi familia entera, por su amor y apoyo; a mi esposo, Joseph, por darme la libertad para explorar la Tierra de los Encantos; a Alex, por ser una maestra de las tramas, incluso durante la temporada de fútbol; a Bella, por mantener a Maggie viva y por enseñarme palabras más chulas que las que se me hubieran podido ocurrir; y a mi adorada Julie Bear, por pedirme que le escribiera una historia y por leerla entera de una sentada.

Quiero agradecer, especialmente, a Laurie McLean, una agente literaria extraordinaria, que creyó en una autora primeriza y, por suerte, tenía hambre el día que leyó el manuscrito; a mi incansable editora, Julie Romeis, por decir que sí y por tomarse el tiempo de desarrollar la historia y excavar la magia de sus páginas; a todos en la editorial Chronicle, por su empeño en crear un libro especial.

Muchas gracias a los colegas que me ofrecieron generosamente su crítica: David, quien releyó los capítulos en muy poco tiempo y me ayudó a hacerlos brillar; Louise, Loretta y Ani, por su generosidad; Char/Lena, quienes me ayudaron a mantener la cordura durante el proceso de revisión, gracias a su buen humor y excelente escritura.

Y, recordando a mis abuelas, Gertrude y Priscilla, gracias por regalarme el personaje de Nana.

Nota de la autora

Cuando era niña, pasé temporadas rodeada de la belleza natural del desierto de Nuevo México. La casa de mi abuela estaba rodeada de álamos y el canto de las cigarras me acompañaba a la hora de dormir en las noches veraniegas de ensueño. Su pequeña cocina estaba llena del dulce aroma de las especias mexicanas y las tortillas caseras. Esa cocina tenía algo intemporal. Quizás representaba un momento ya perdido por el bullicio de nuestra ajetreada vida moderna, o un lugar donde la magia todavía existía para los que creían en ella. Hoy, te desafío a que te detengas para dar un paseo o hacer una tanda de tortillas caseras. Te ofrezco la receta de mi abuela, aunque es posible que no haya incluido el ingrediente secreto. ¡Quizás tú puedas inventar el tuyo y hacer tu propio sol de tortilla!

LAS TORTILLAS DE HARINA DE NANA

PORCIONES: 12 TORTILLAS

4   *tazas (510 gramos) de harina*

1½ *cucharaditas de sal*

1½ *cucharaditas de levadura en polvo*

4   *cucharadas (55 gramos) de manteca u otra grasa*
     (a veces, mi abuela usaba grasa de tocineta)

1½ *tazas (360 mililitros) de agua tibia*

Mezcla los ingredientes secos en un cuenco. Utiliza un tenedor para mezclar la grasa con los ingredientes secos, o hazlo como Nana y usa las manos. Haz un hueco en el centro y añade lentamente el agua para formar la masa. Mezcla con las manos mientras añades más agua. Trabaja la masa en el cuenco hasta que esté lisa y uniforme. Recuerda, no debe quedar pegajosa. Tapa el cuenco con papel encerado y deja reposar la masa durante diez minutos.

Haz pequeñas bolas con la masa y aplástalas entre las palmas de las manos. Espolvorea una superficie lisa con un poco de harina. Con un rodillo, extiende cada bolita hasta formar un círculo de quince centímetros (seis pulgadas), o cualquier forma que vayan tomando al principio (esta parte requiere mucha práctica, pero sabrán igual de bien, aunque tengan la forma del estado de Texas). Recuerda que debes extender desde el centro hacia fuera. Levanta la masa y rótala cada vez que la extiendas con el rodillo.

Calienta un comal o una sartén de hierro fundido durante dos a tres minutos a fuego medio-alto. Cuece las tortillas en el comal, durante aproximadamente uno o dos minutos por cada lado. Deben quedar doradas con manchitas marrones.

Para servirlas, úntalas con mantequilla, dóblalas por la parte de abajo, enróllalas y ¡disfruta! Pon las tortillas cocinadas que te sobren entre trozos de papel encerado y mételas en una bolsa de plástico grande que puedas cerrar. Si la bolsa está bien cerrada, pueden durar hasta dos semanas.

Glosario

Burrito	una tortilla de harina, enrollada y rellena normalmente de frijoles, arroz y carne
Chile relleno	un pimiento relleno, rebozado con una masa de harina y huevo, y frito
Descanso	un monumento que honra el lugar donde murió un ser querido
Empanada	un pan o pastel relleno
Enchilada	una tortilla rellena de carne o queso y cocida en salsa de chile
La Sagrada Familia	la Virgen María, San José y el niño Jesús
Mariachi	cierto tipo de grupo musical, popular en México
Mija	forma cariñosa de llamar a una hija o niña pequeña
Piñata	recipiente de papel maché lleno de golosinas
Saltillo	una ciudad de México, conocida por sus azulejos para pisos
Santa Ana	la madre de la Virgen María y abuela de Jesús
Sopaipilla (sopaipa)	masa frita que se suele servir con miel o sirope
Taco	tortilla de maíz o harina con relleno, por lo general, de carne de res o pollo
Tamal	plato tradicional latinoamericano que consiste en una masa de maíz cocinada al vapor y rellena de varios ingredientes (carne de cerdo, res o pollo)